篆隶

中册

目次（中册）

汉乙瑛碑

乙瑛碑

隶书。全名《鲁相乙瑛奏置孔庙百石卒史碑》，又称《孔和碑》，镌立于东汉桓帝永兴元年（一五三），未署书人姓名，碑末刻有宋人张稚圭题记谓『后汉锺太尉（锺繇）书』，不确。碑中所记为鲁相乙瑛请为孔庙置百石卒史一人，以掌检礼器的往返公牍。原石今在曲阜孔庙。

此碑书体端庄凝重，气象雍容，是汉碑中名品。

司徒臣雄司空
臣戒稽首言魯
前相瑛書言詔

書崇聖道勉

孔子作春秋

制孝經

五

辭經緯天地幽讚神明故特立廟褒

成矦四時來祠
事已即去廟有
禮器無常人掌

領請置百石

[illegible]一人典主守

廟春秋饗禮財

出王家錢給大
酒直須報謹問
大常祠曹掾馮

年史郭玄辭對

古中位夫

行祠先聖師侍

祠者孔子子孫
大宰大祝令各
一人皆備爵大

常丞監祠河南

尹給牛羊豕

雞各一大司

農給米祠臣愚
以爲如瑛言孔
子大聖則象乾

以為漢制作先

世所尊祠用眾

牲長吏

欲加寵子孫敬

恭明祀傳于罔

極可許臣請魯

相爲孔子廟置
百石卒史一人
掌領禮器出

犬酒直

他如故事臣雄

臣戒愚戇誠惶

誠恐頓首頓首
死罪死罪臣稽
首以聞

公
河南
字季高

司空公蜀郡成
都
字意伯
元嘉三年三月

廿七日壬寅奏
雒陽宮
元嘉三年三月

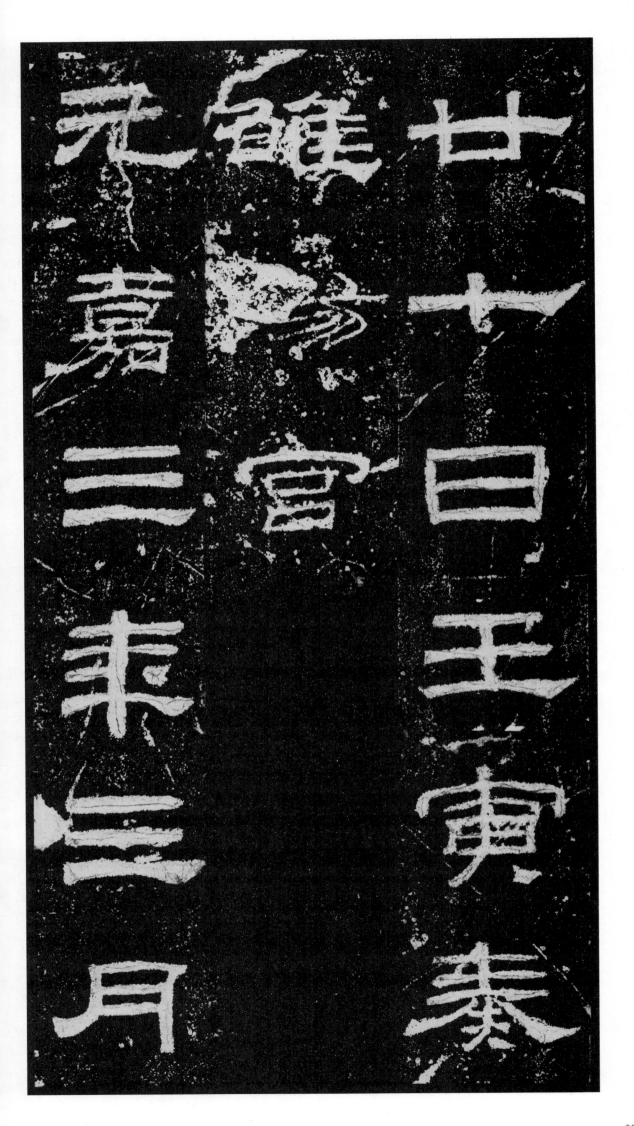

丙子朔廿七日
壬寅司徒雄司
空戒下魯相承

書攷事不富有
者[illegible][illegible]也出之
經通一藝雜

試通利能奉弘
先聖之禮為宗
所歸者如詔書

書到言
永興元年六月
甲辰朔十八日

辛酉魯相平行
長史事卞守長
擅叩頭死罪敢

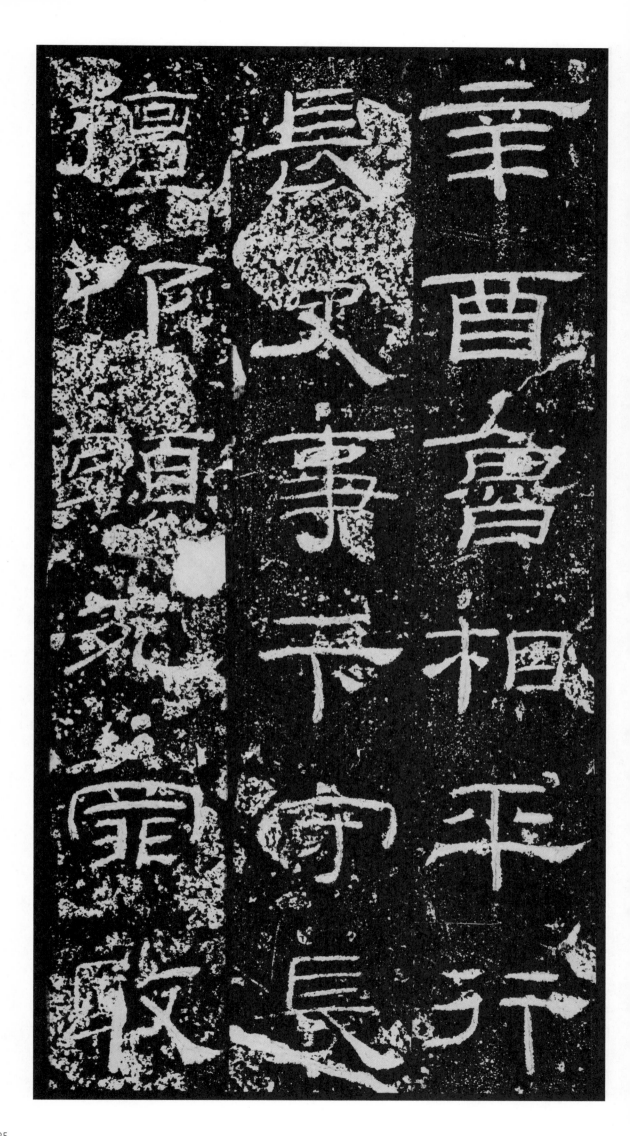

言

司徒司空府壬

寅詔書爲孔子

廟置百石卒史
一人掌領禮器
選年卌以上經

通一藝雜試能

奉弘先聖之禮

為宗所歸者平

叩頭叩頭死罪
死罪謹案文書
守文學掾魯孔

龢師孔憲戶曹

史孔覽等雜試

龢修春秋嚴氏

經通高第事親
至孝能奉先聖
之禮為宗所歸

除祿補呂狀如

陳平嗚還爾頭

宛寅宛寇止

司空府、

讚曰魏魏大聖

赫赫彌章相乙

瓚字少卿平原
高唐人令鮑疊
字文公上黨屯

節□政教稽古
若重規□□君
宗舉守宅除吏

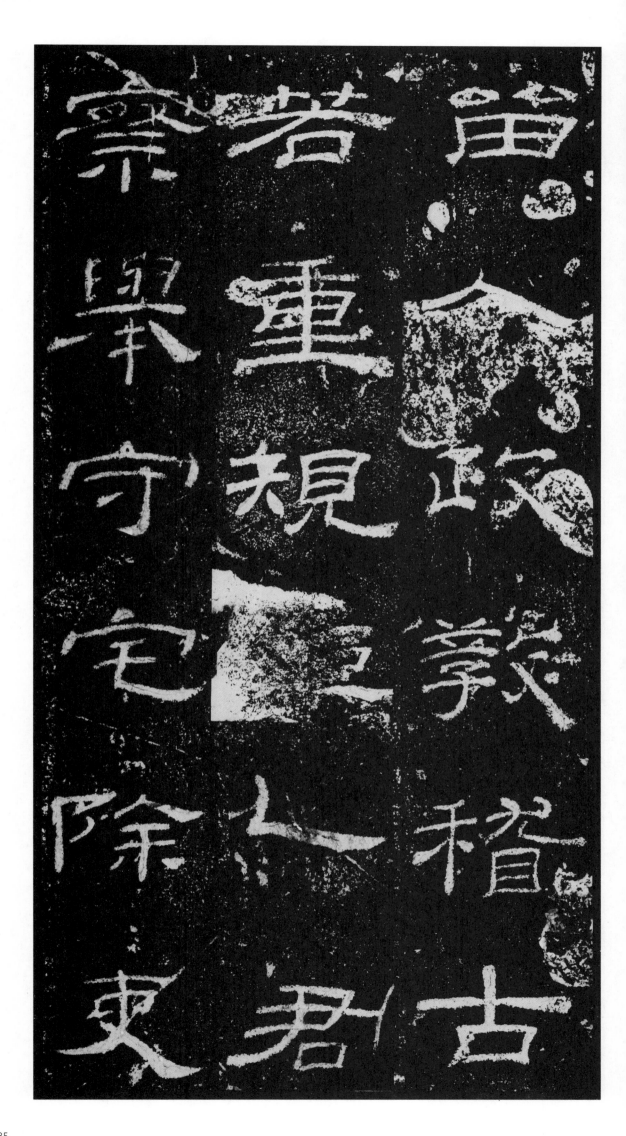

孔子十九世孫麟廉請置百石卒史一人鮑君

造作百石吏舍
功垂无窮於是
始

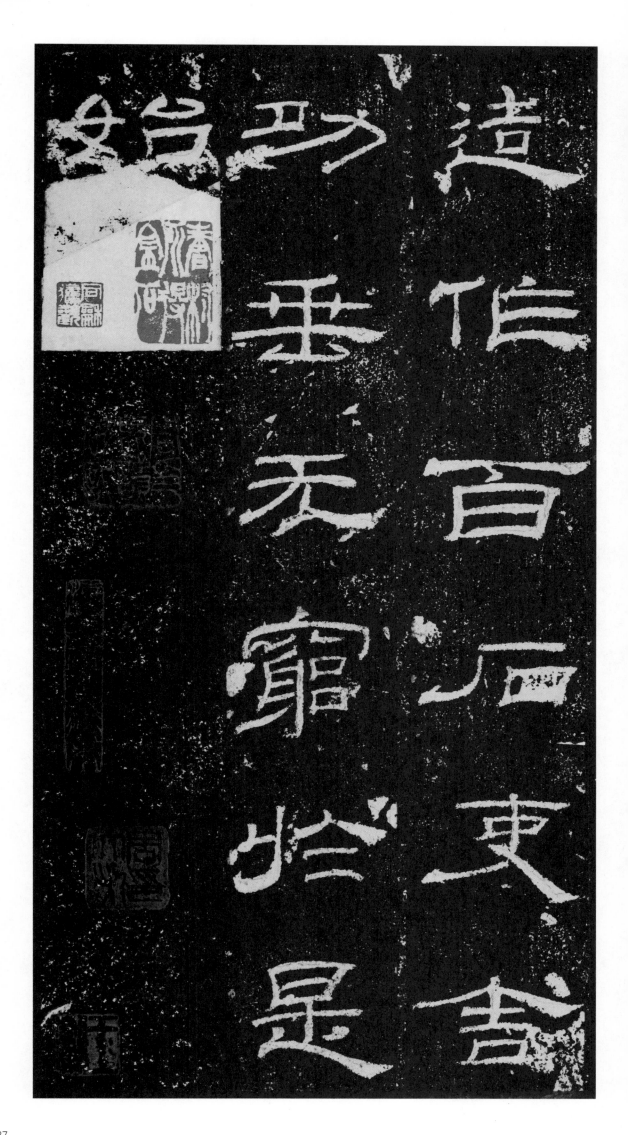

汉礼器碑并阴侧

礼器碑

隶书。全名《鲁相韩敕造孔庙礼器碑》，亦称《韩敕碑》，东汉永寿二年（一五六）立。现存山东曲阜孔庙。

此碑书法历来以为是隶书极则，如清王澍云：『书到熟来，自然生变，此碑无字不变。「鲁」字、「百」字，不知多少，莫有同者。此碑无意于变，只是熟故。若未熟便有意求变，所以数变辄穷。吾以《孔和》《韩敕》《史晨》三碑，举似学者，以为遒古莫如《孔和》，清超莫如《韩敕》，肃括莫如《史晨》，三碑足以概汉隶。其实《孔和》《史晨》二碑，皆各就一篇，而诣其极。唯《韩敕》无美不备，以为清超，却又遒劲；以为遒劲，却又肃括，自有分隶来，莫有超妙如此碑者。则此碑实足并有《孔和》《史晨》之胜，千变万化而不逾矩，更非《孔和》《史晨》所能尽。』可谓赞扬备至。然此碑亦实足当之。

惟永壽年
青龍在涒歎
霜月之靈皇

極之日魯相
河南京韓君
追惟太古華

胄生皇雄顏

育空桑孔制

元孝百王不

孔子近聖
為漢定道自
天王以下至

于初學莫不
鏡顏氏聖學

家居魯親里

并官聖婉左

安樂里聖[illegible]

親禮
與後顏氏并
官氏邑中

政曹
歷世禮
樂陵遲秦

治亂家尊圖

書言道畤德

[illegible]敗聖輿復

糧亡于沙丘
君於是造立
禮器樂之音

苻鍾磬瑟鼓
雷洗觴觚爵
鹿柤梪籩柉

朝　廟　禁
車　更　嘉
威　俻　師
喜　二　餘
宣　陳　宅

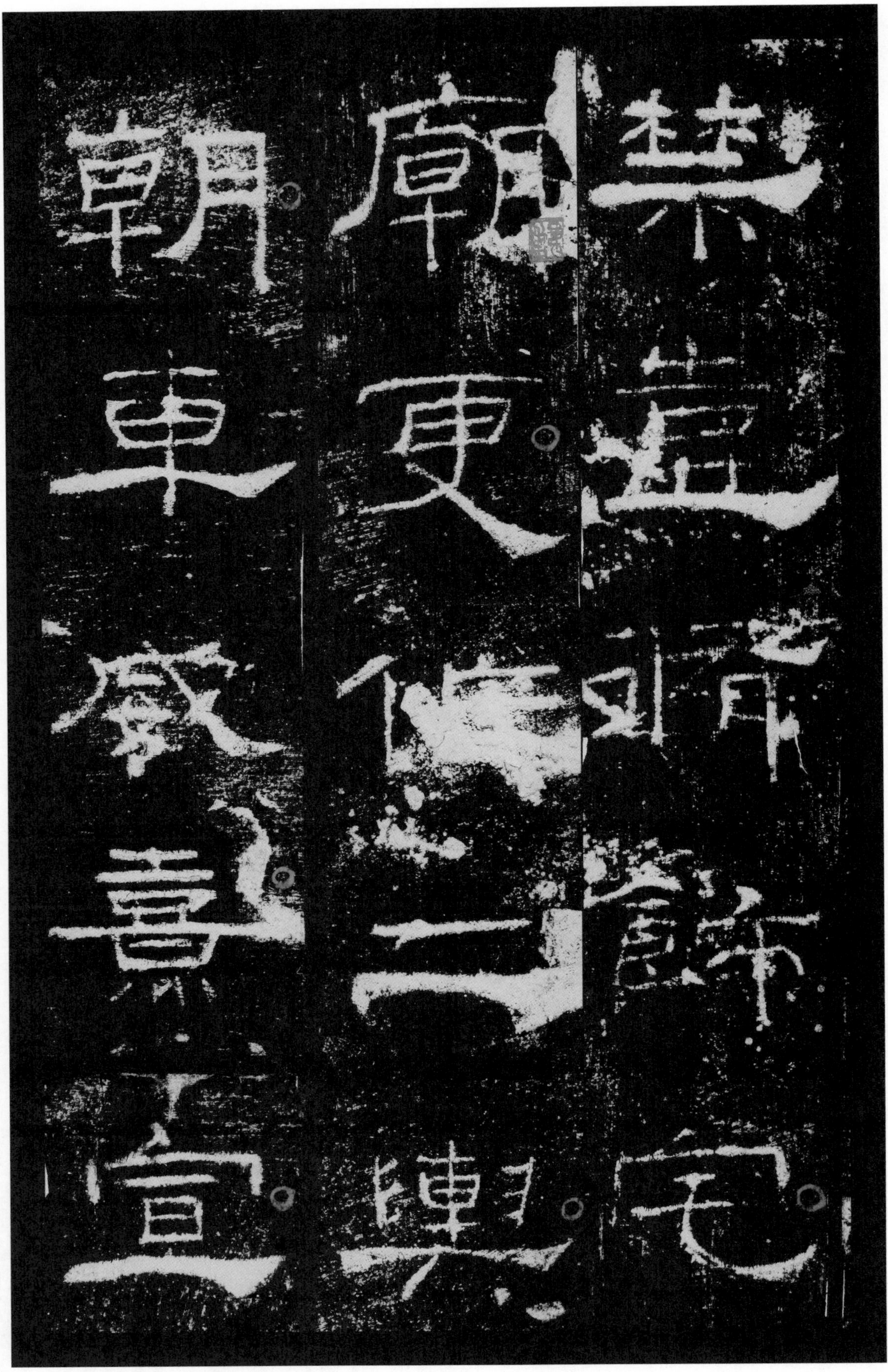

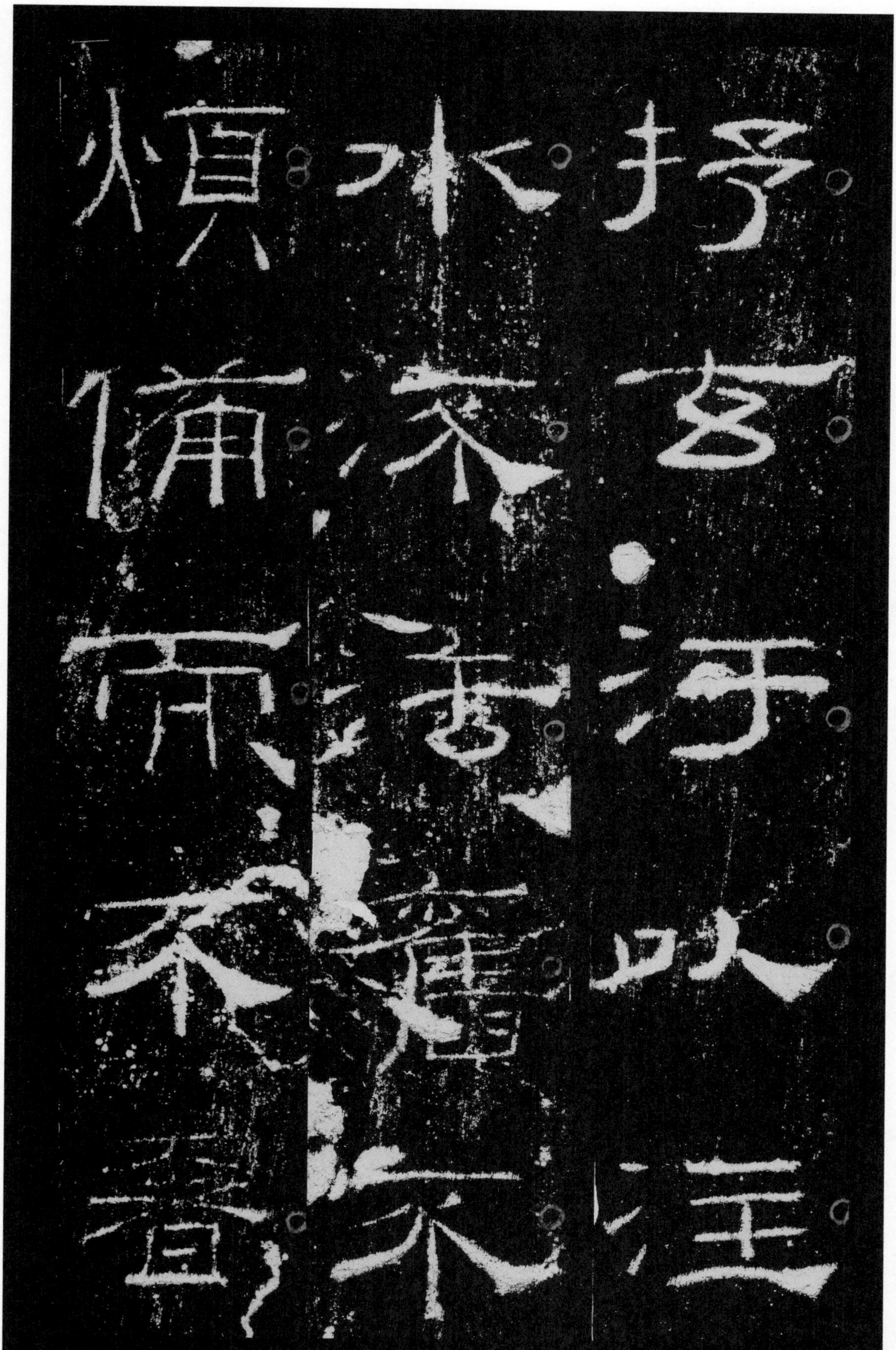

抒玄汙以注
水流[illegible][illegible]不
[illegible]備[illegible][illegible][illegible]

上合紀臺稽
之中和下合
聖制事得禮

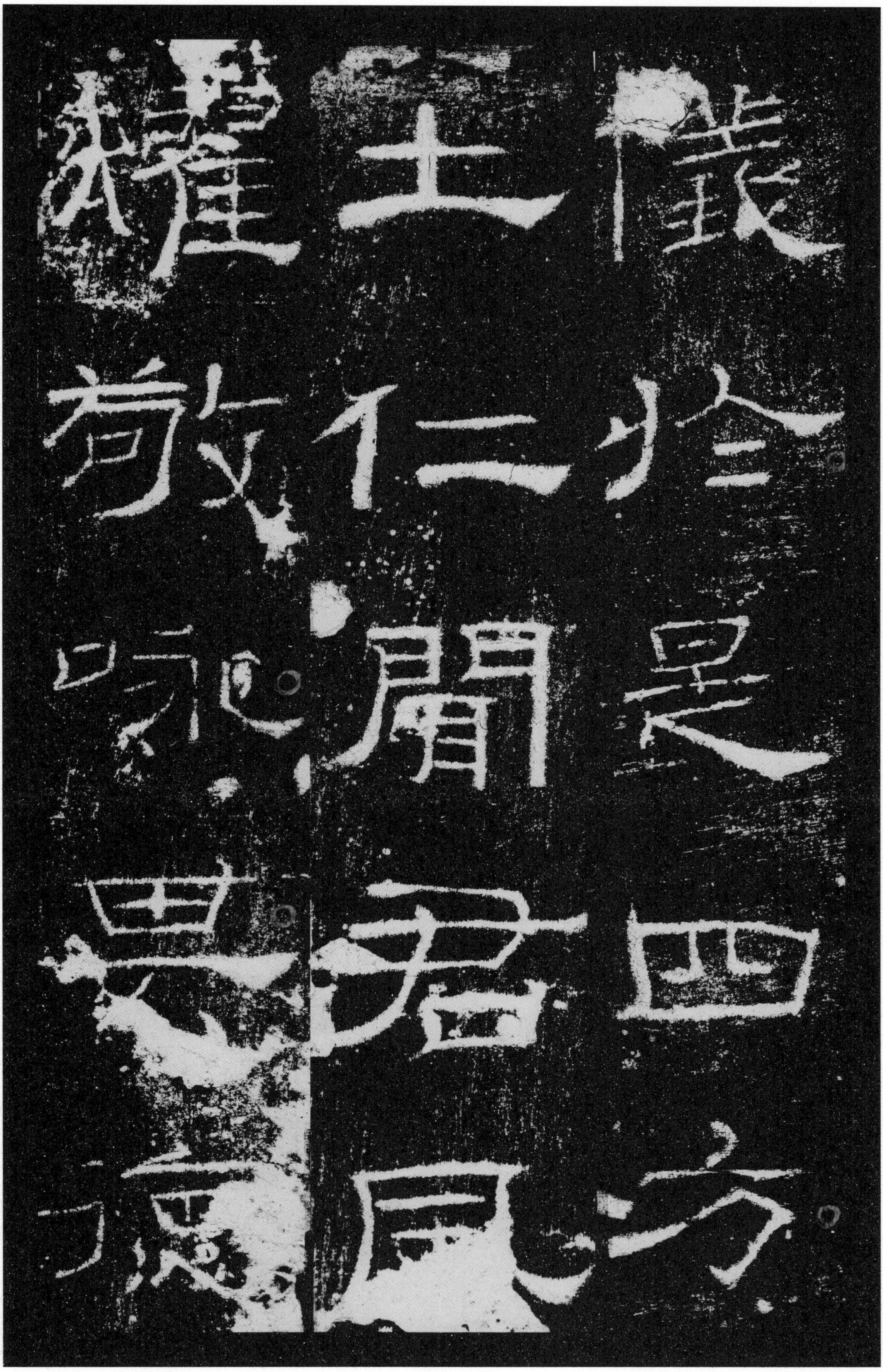
儀於是西
土仁開君周
敬祀異

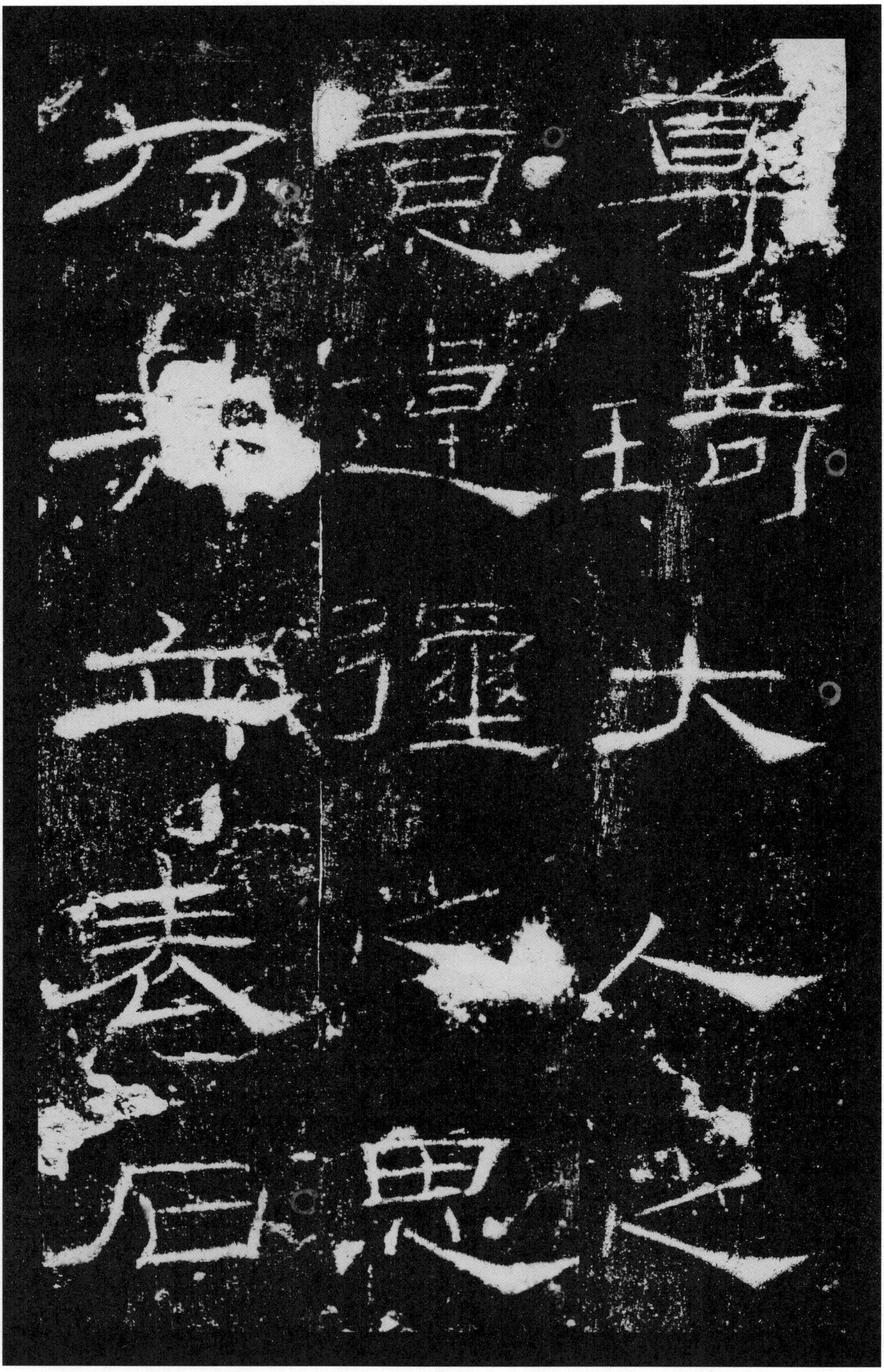

紀傳億載典
文曰

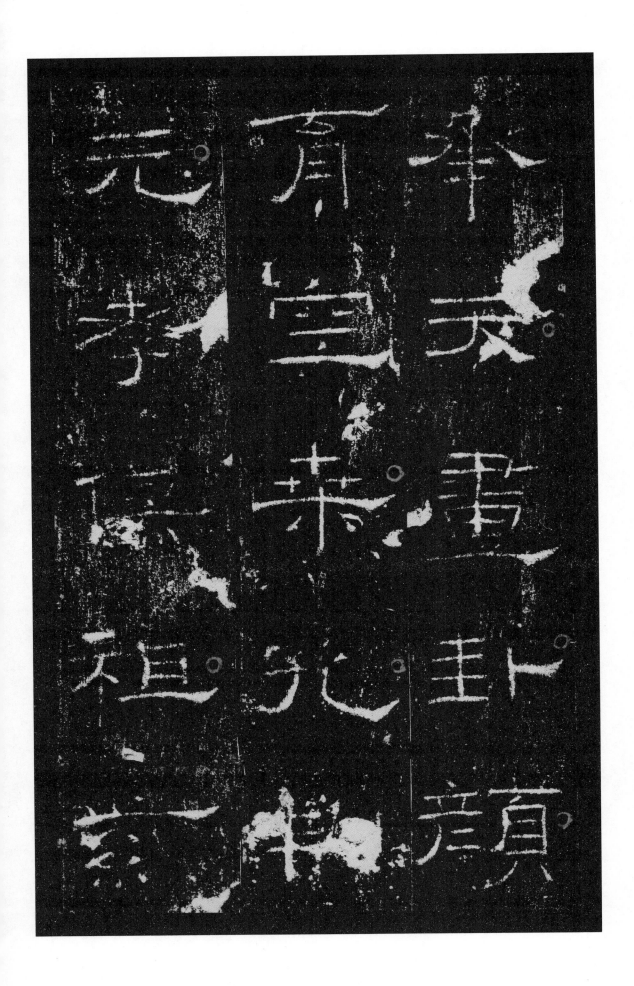

來友爵卦韻

有皇萊先[illegible]

光孝[illegible]祖[illegible]

宮大一所授
前闓九頭以
升言教後

元以來三九
載人皇三
代至孔子

聖人不世期
五百載三陽
吐圖二陰出

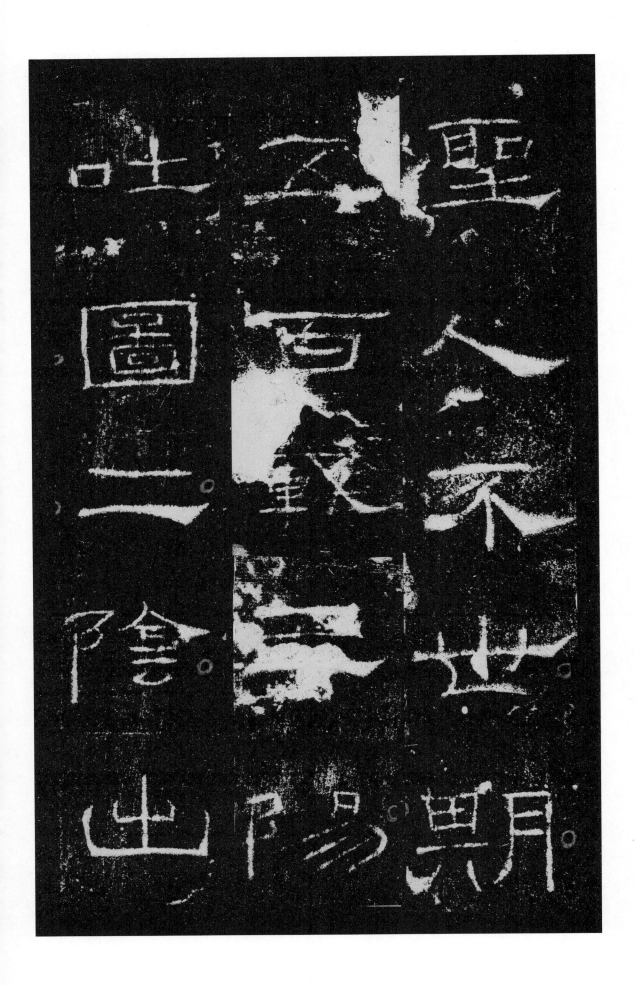

義元作之義

人矣地事

巴侯

下昜韓君瘴見

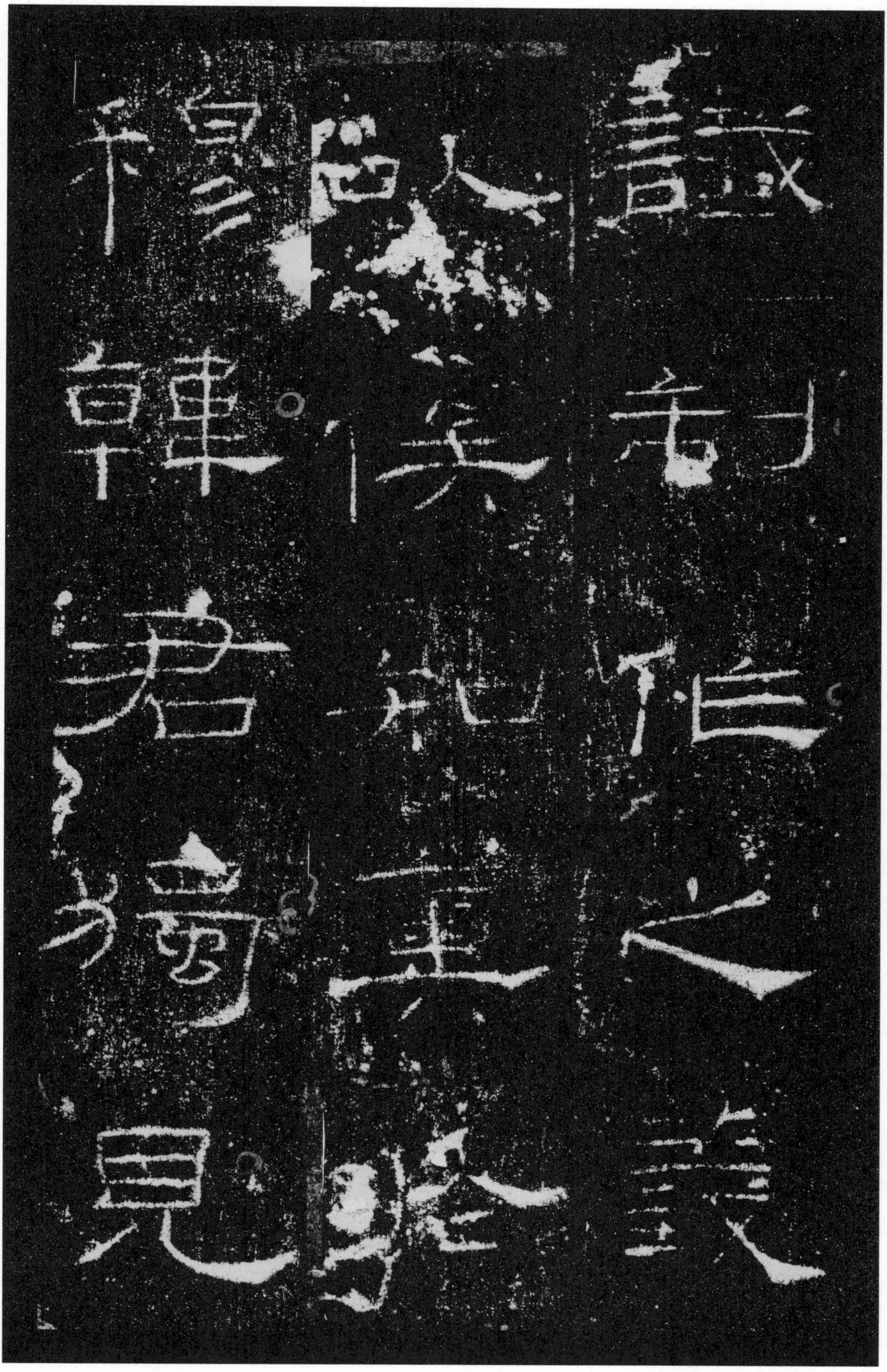

華嶽　詹　朝

　　　宇　早

川　　殷　軍

亭　　懃　爰

古　　宅　熹

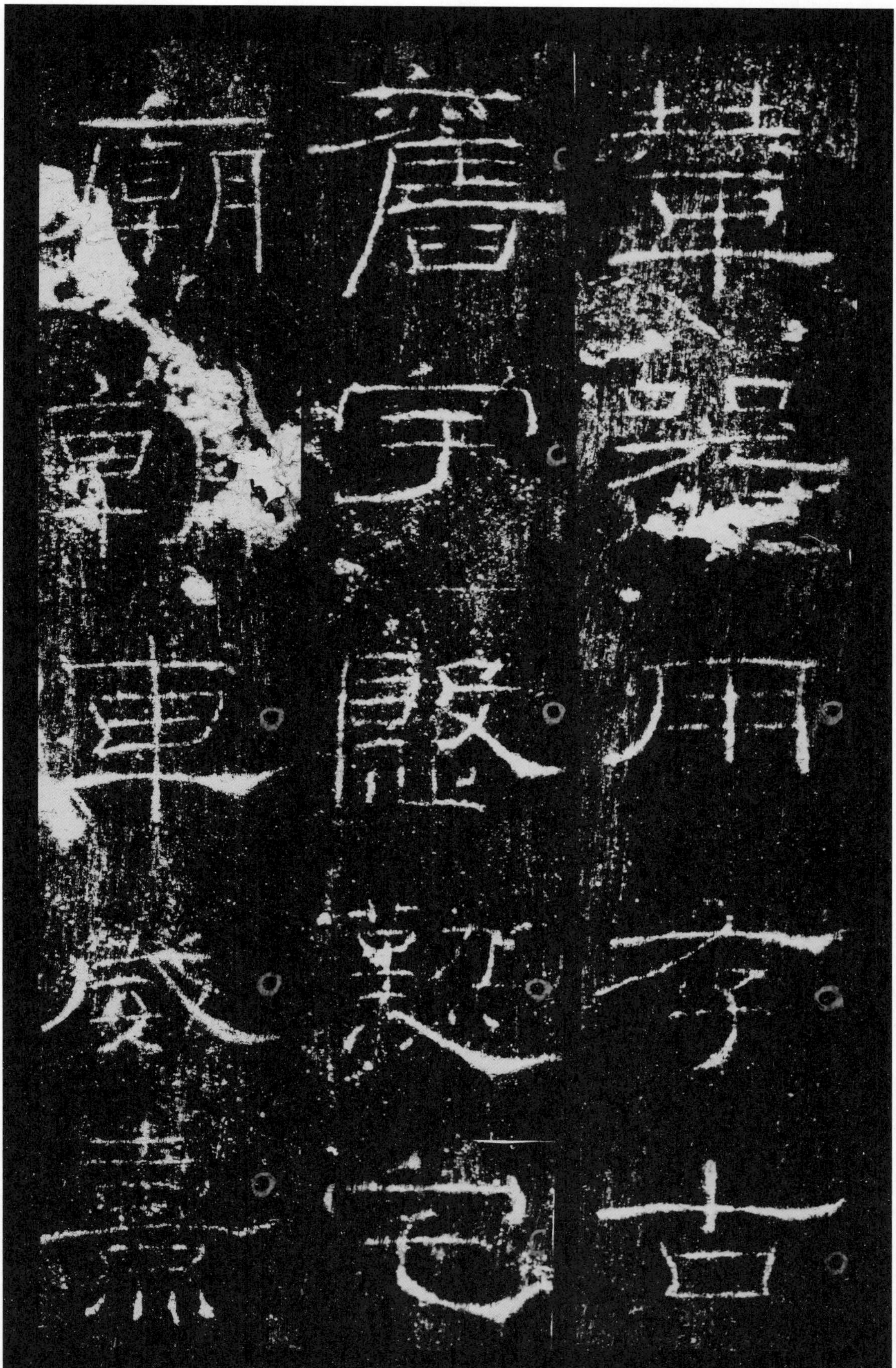

于水[illegible][illegible]注禮器升堂天雨降澍百姓

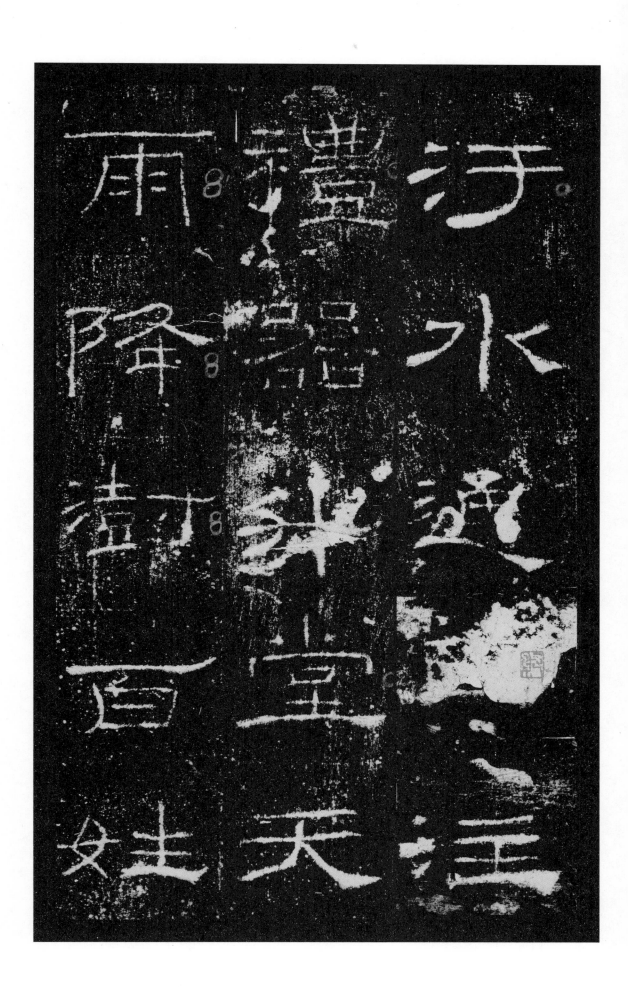

舉國
謁敬之報天

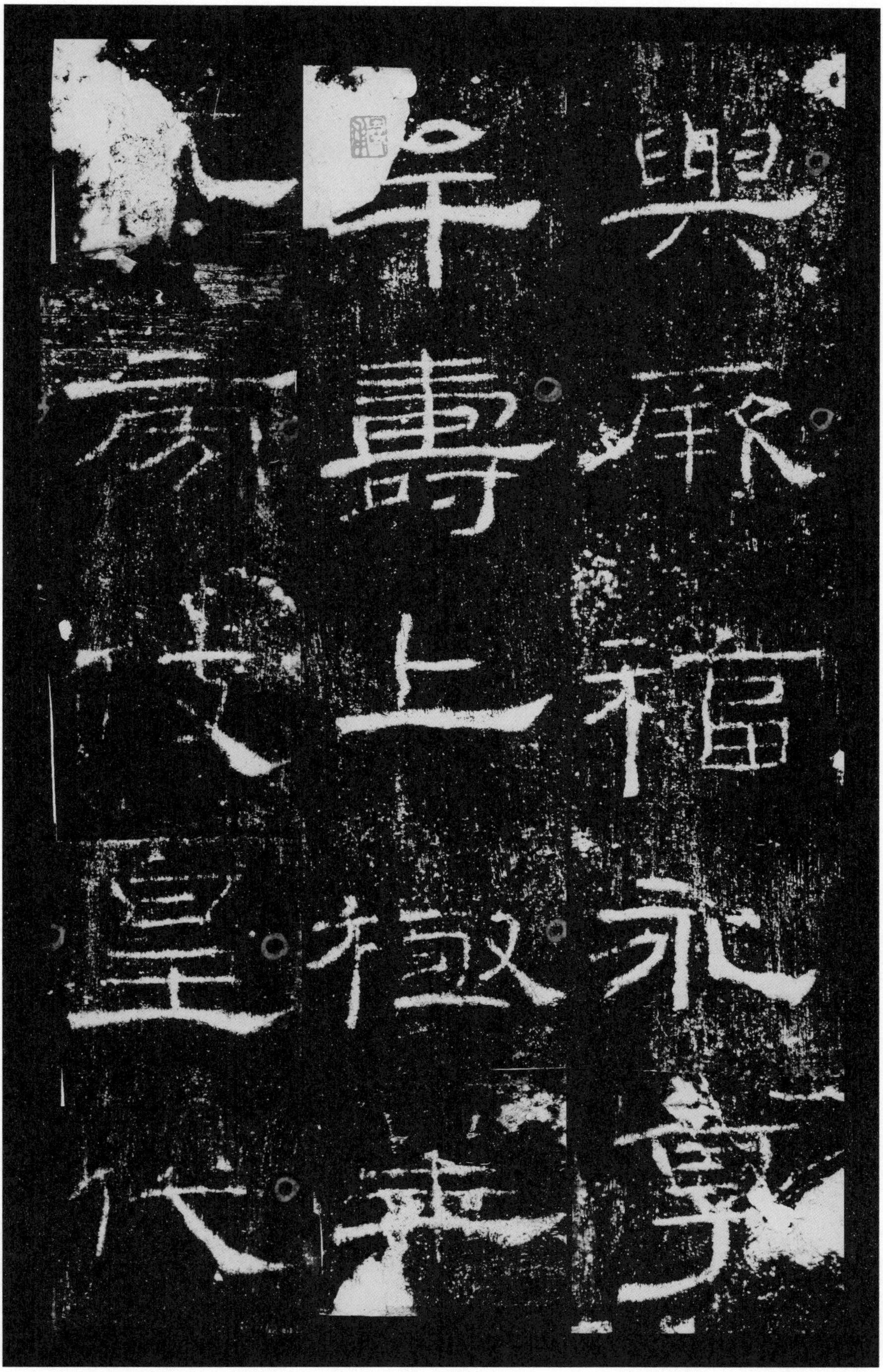
與乘福永享
年壽上極
家克皇代

掾赫
聲
韓朝府名教

字祈節
故涿郡大守
魯麃次公五

千安從事督張高卿高五百潁川長社

玉君真二
酉會稽大
守傳世起

薛陶元方三
河東大陽

文康儉元節。
二百。故樂安
相。魯麃季。公。

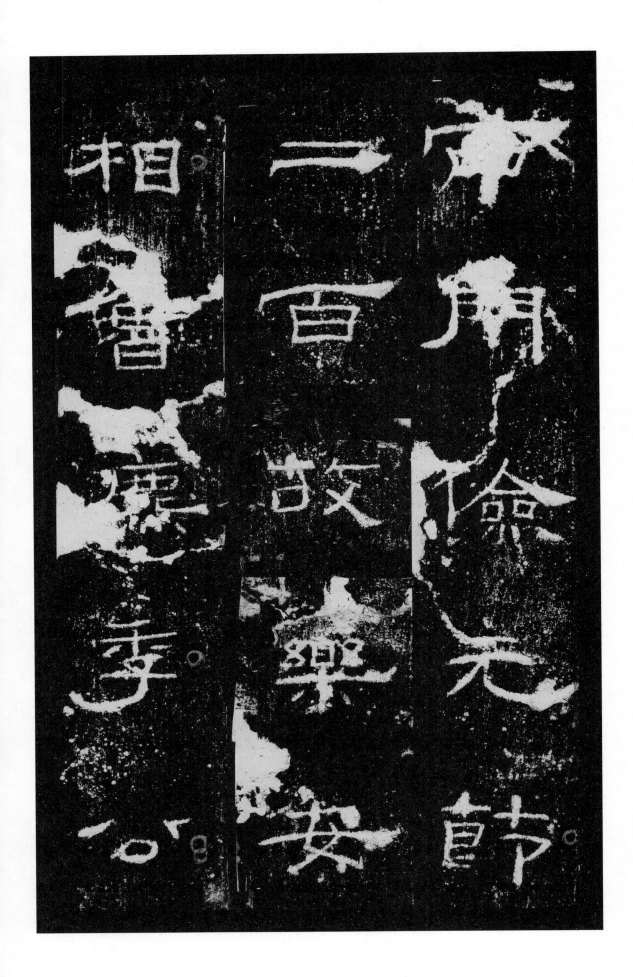

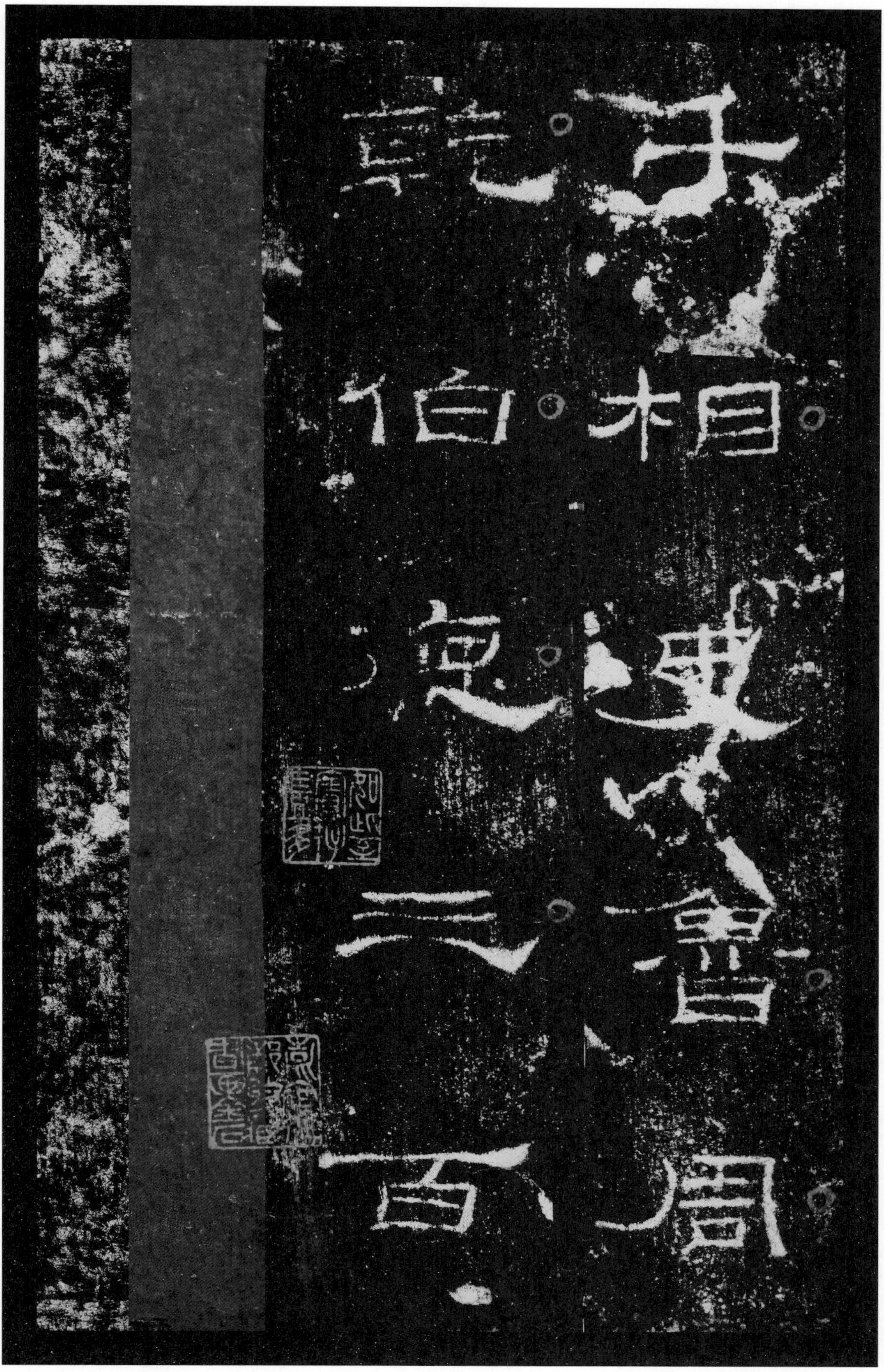

于相
魯周
乾伯
三百

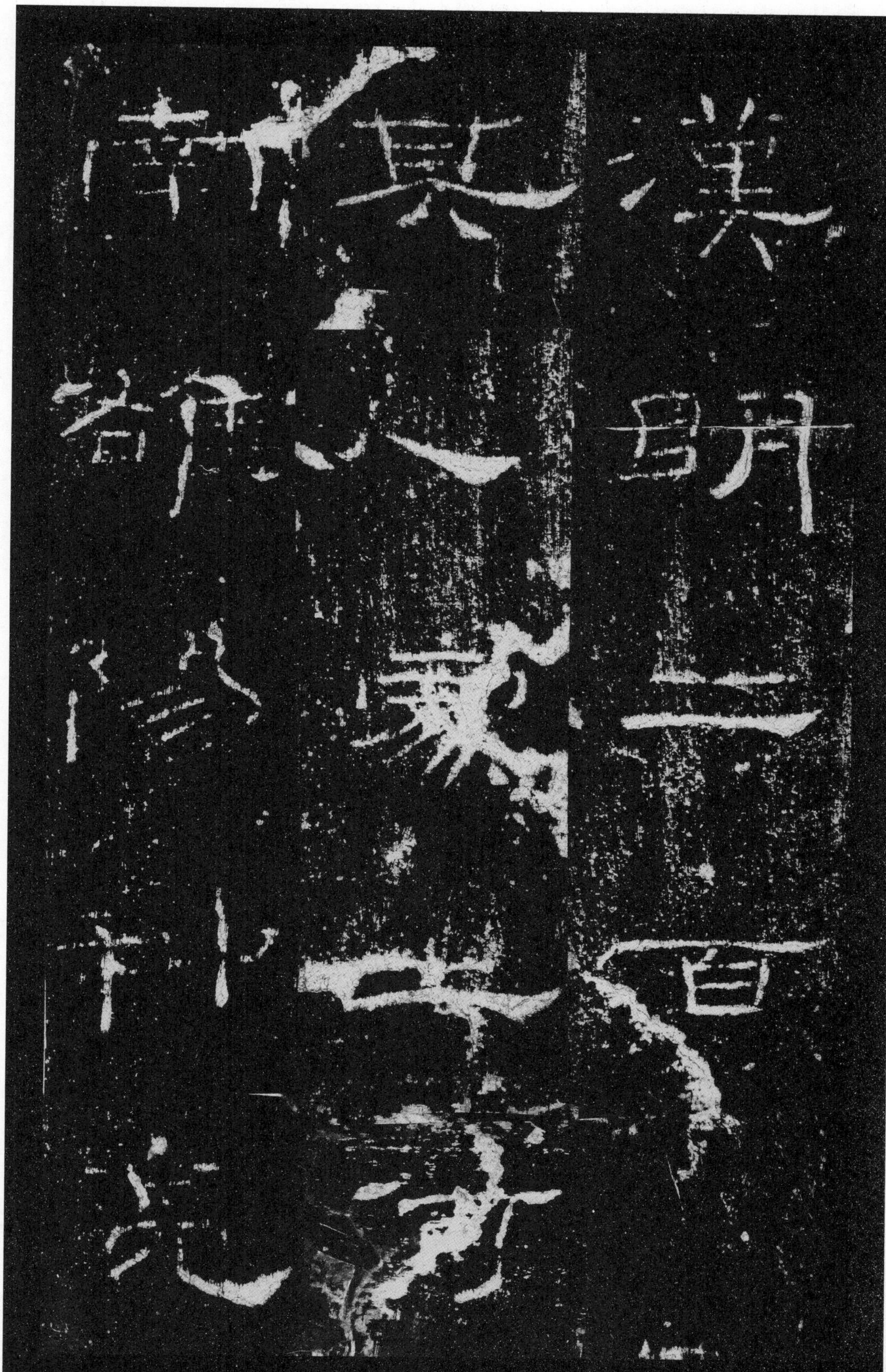

故　未
魏　高
　　王

任　邑

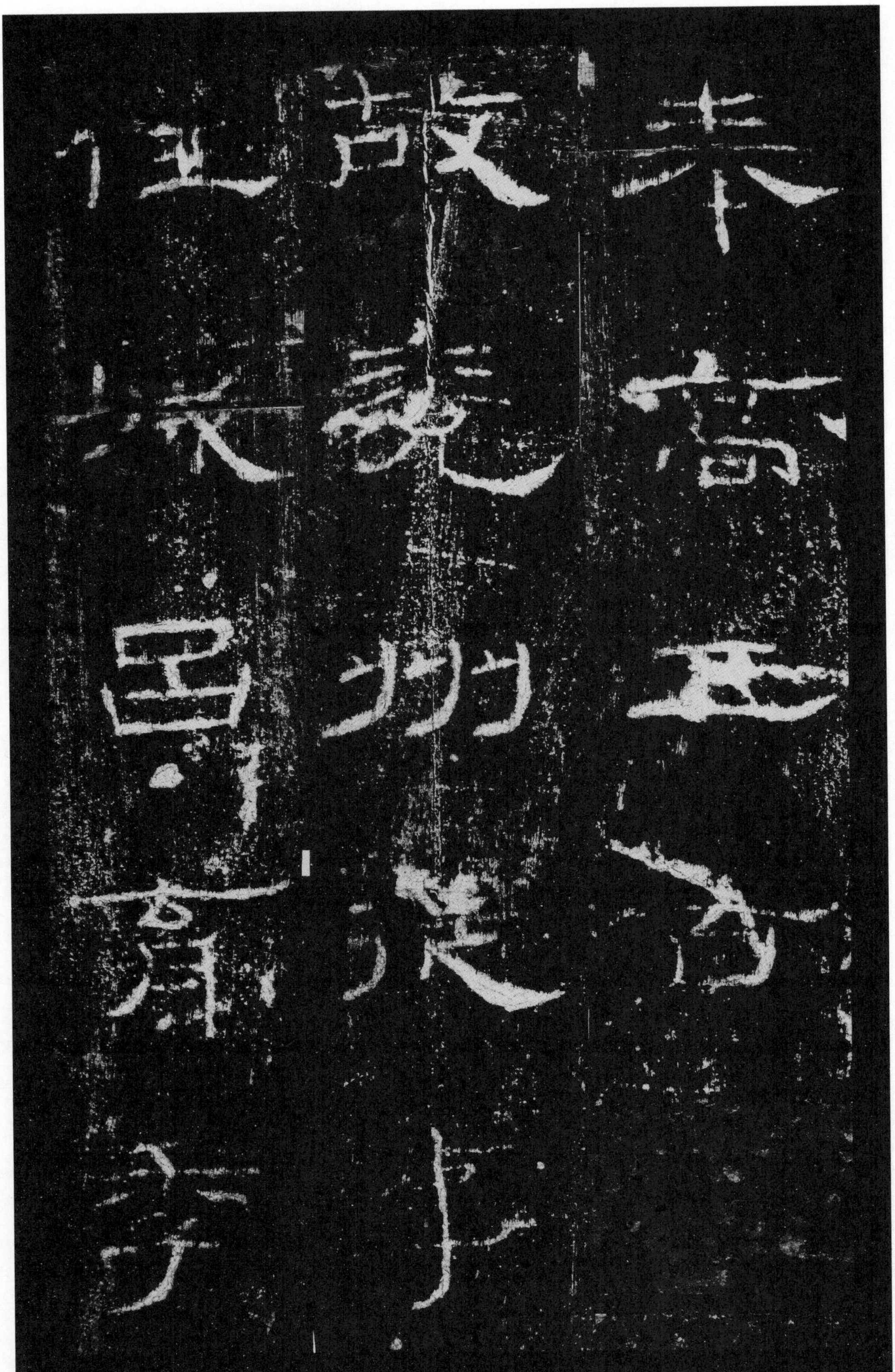

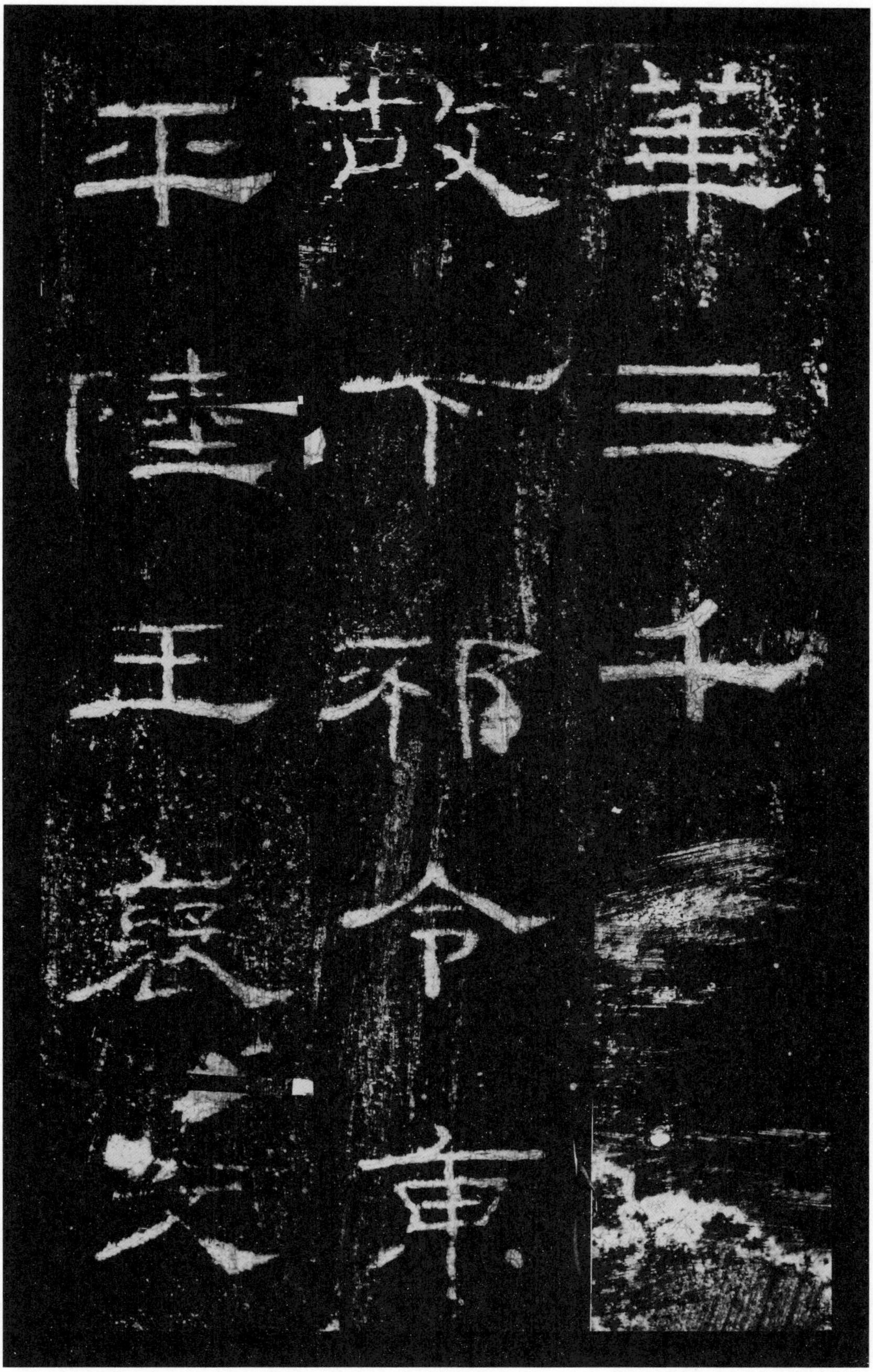
華三千
故下邳令東
平陸王襃文

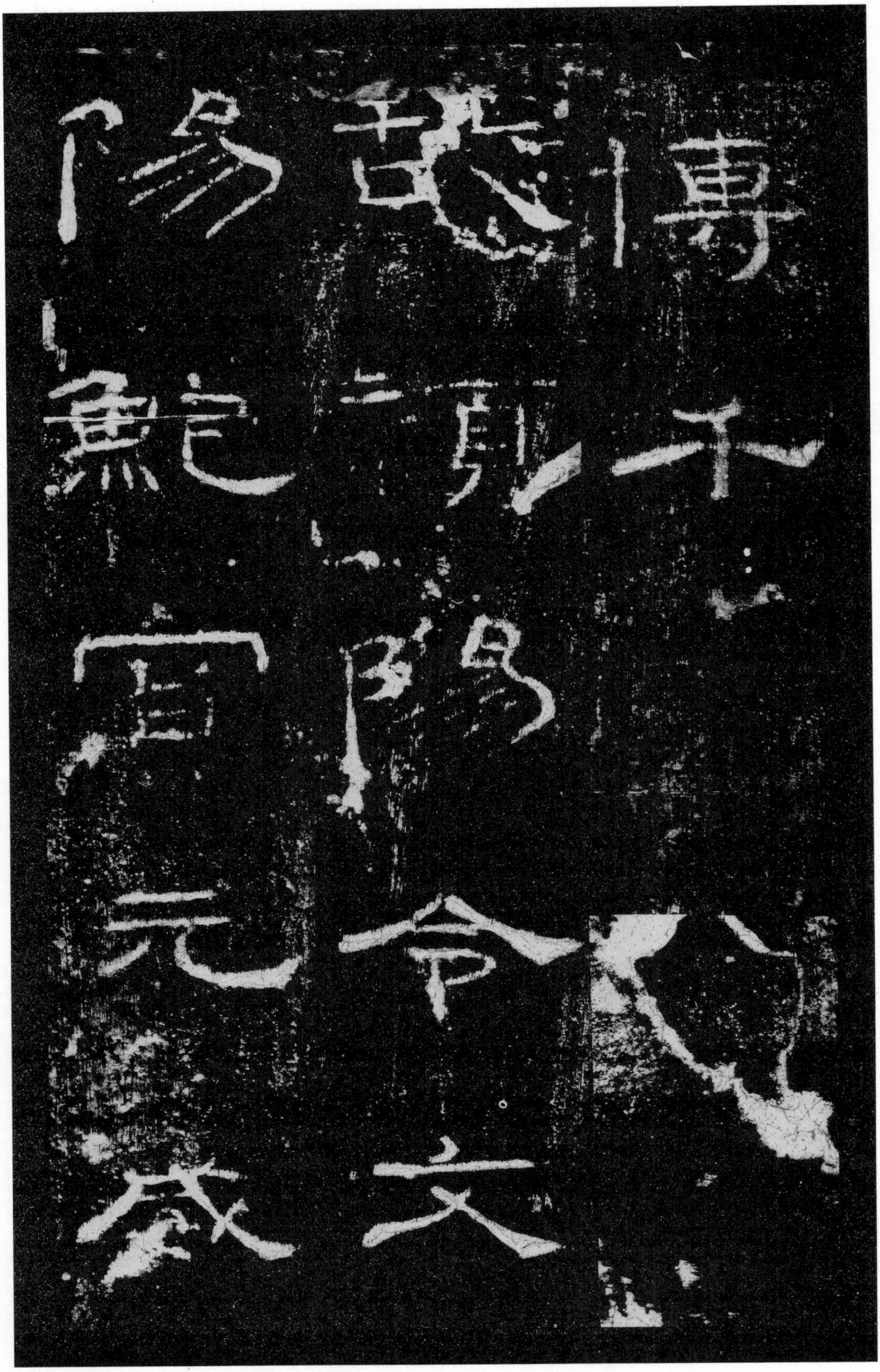
傳于
哉霸陽令文
陽鮑宣元成

十
河南雒陽李
申伯百

亨孝父二百
平原樂陵朱
恭敬公二百

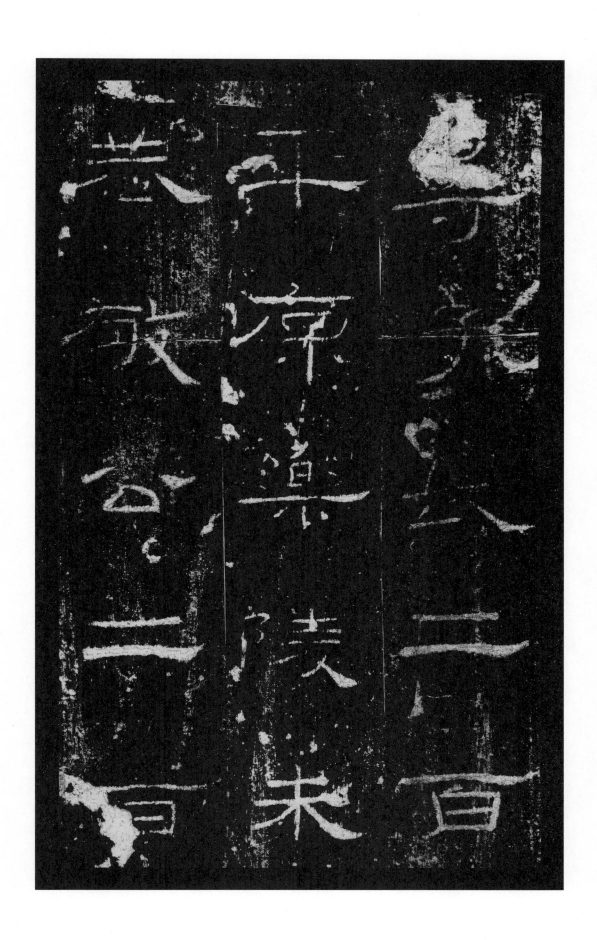

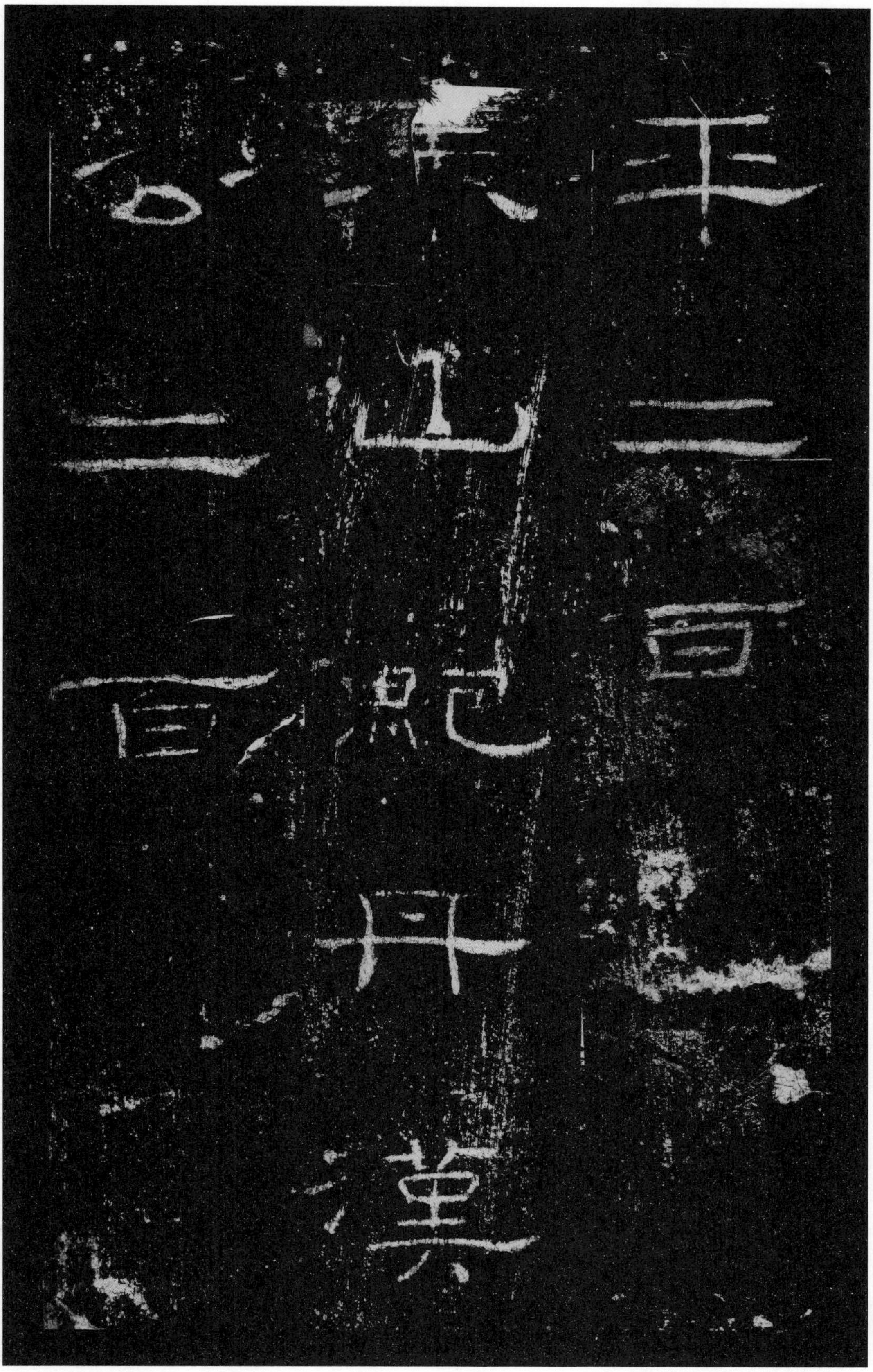
年二百
山郡丹漢
谷二百

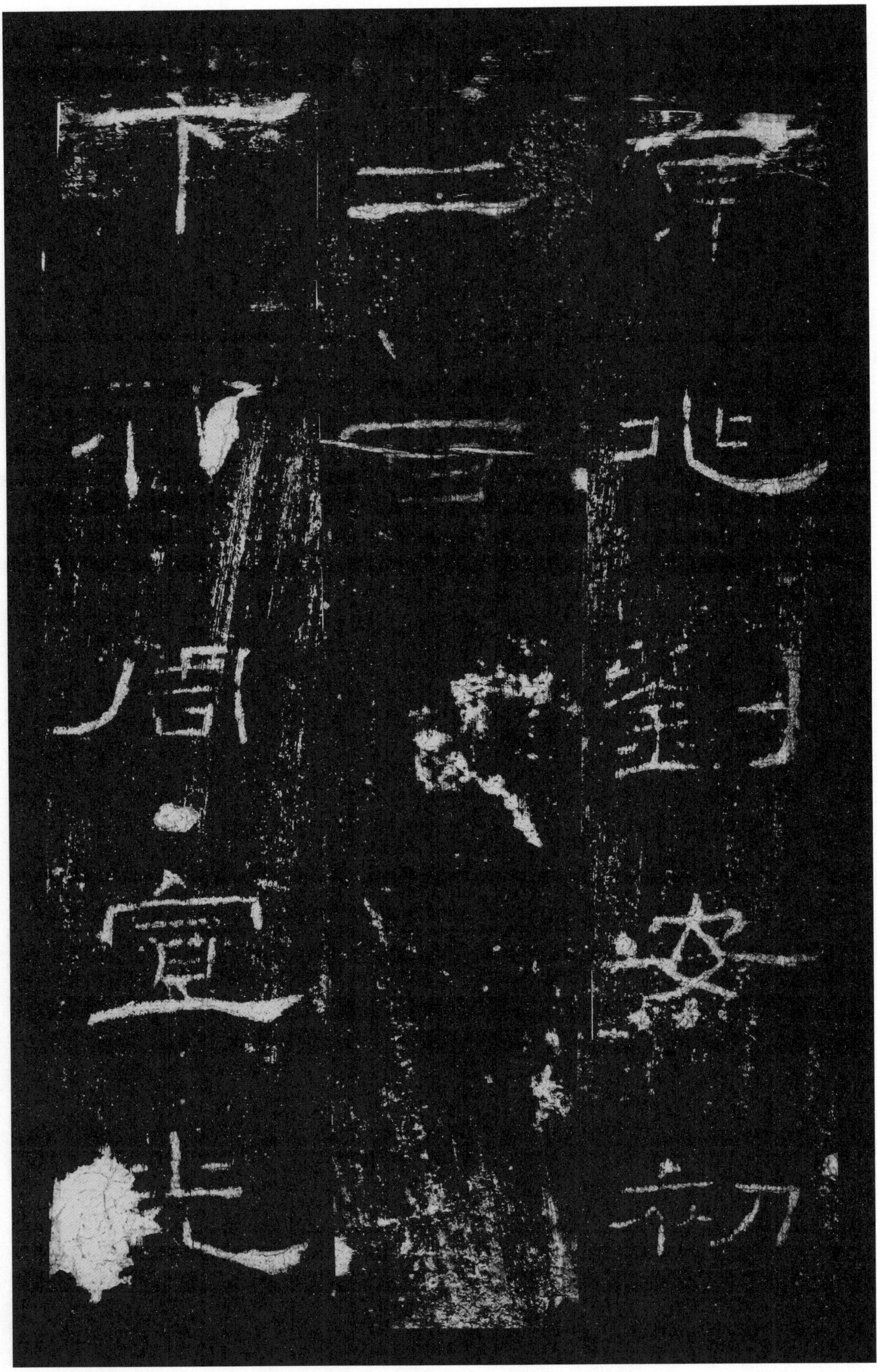
下不居室也

三百
河開東
伯宣三百

國皇宗
伯宗三高
經小長

字孟三百
汝南宋公國
陳

山陽南平陽
陳漢
任城番君舉

任城謝伯威

二百

任城高伯世

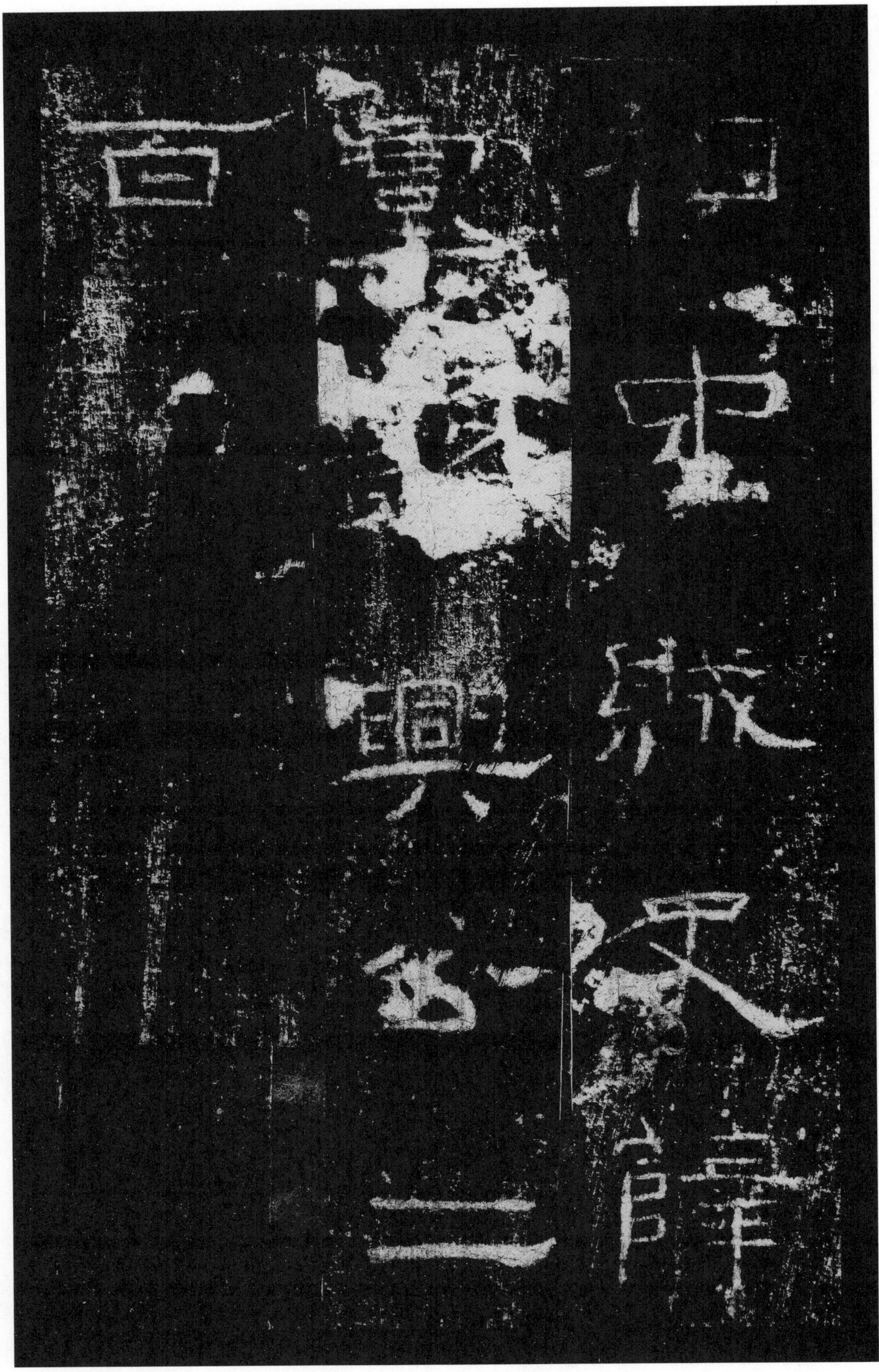

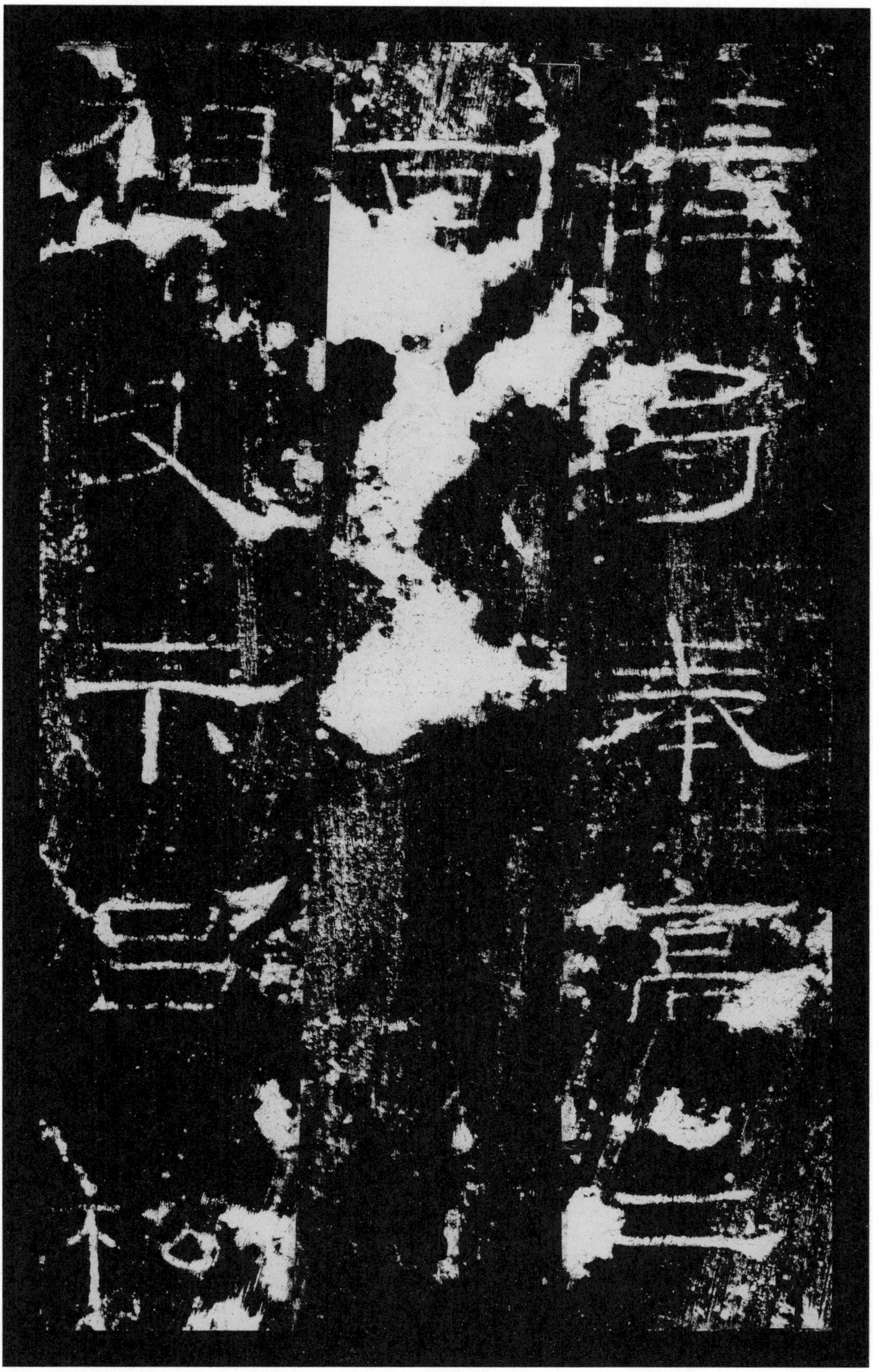

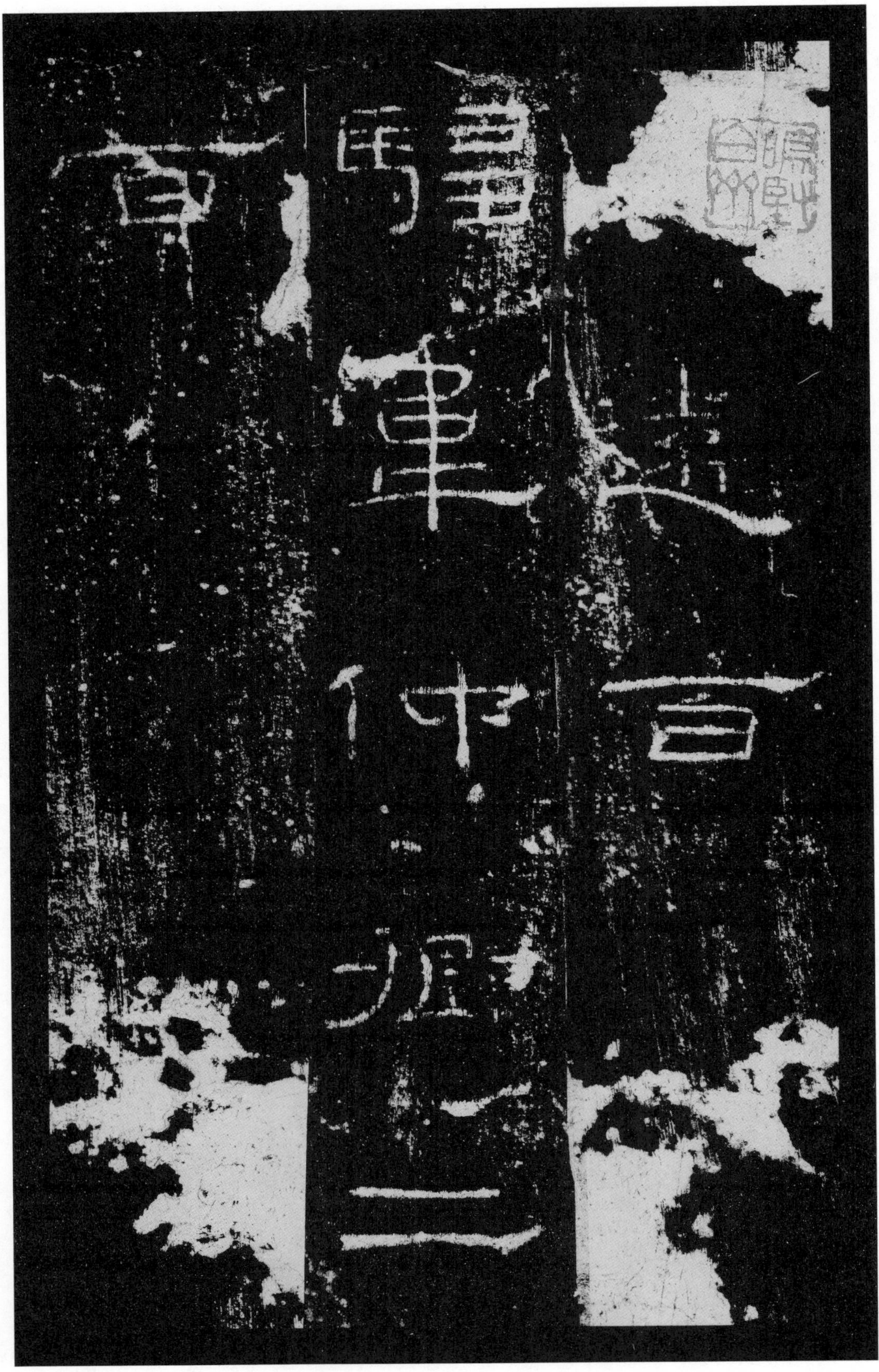

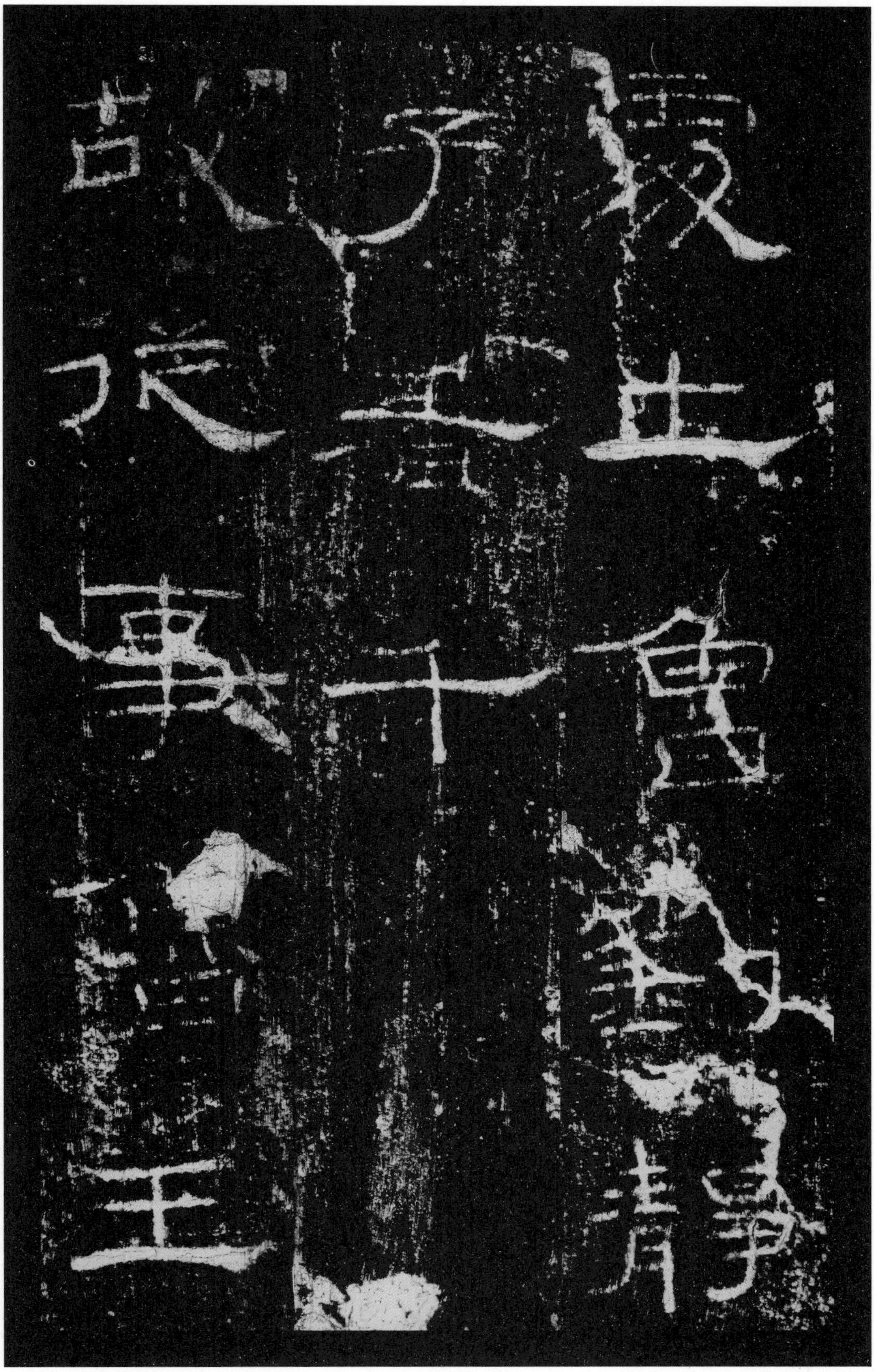
褒出食
静
子王千
故於事
王

陵少　　故文　　煇軍
　　　　　　　　　　昌
　勅　　　営郡　　高
　　　　　志
平　　　魯　　　　　　士
直　　　开　　　　　　百

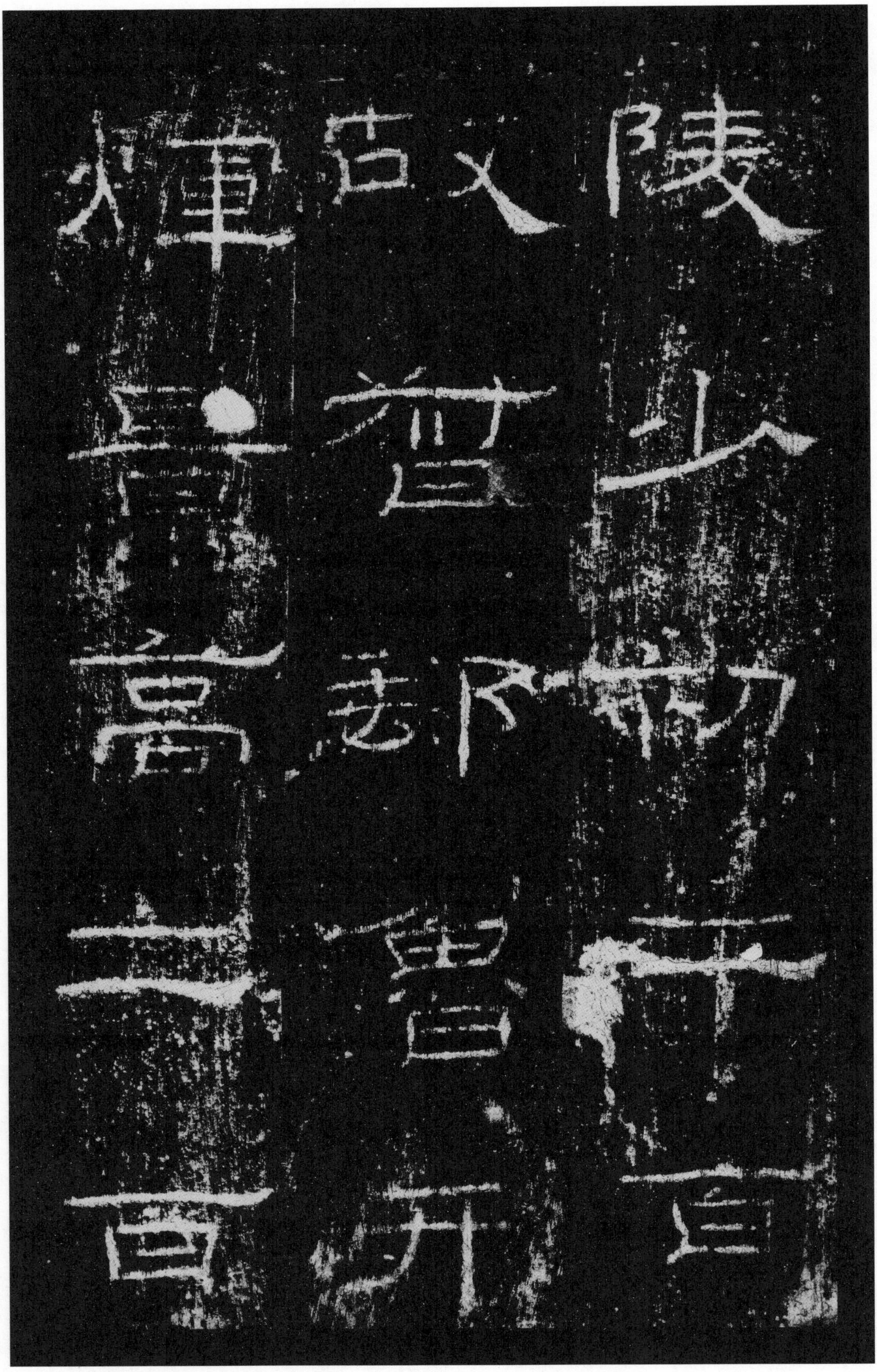

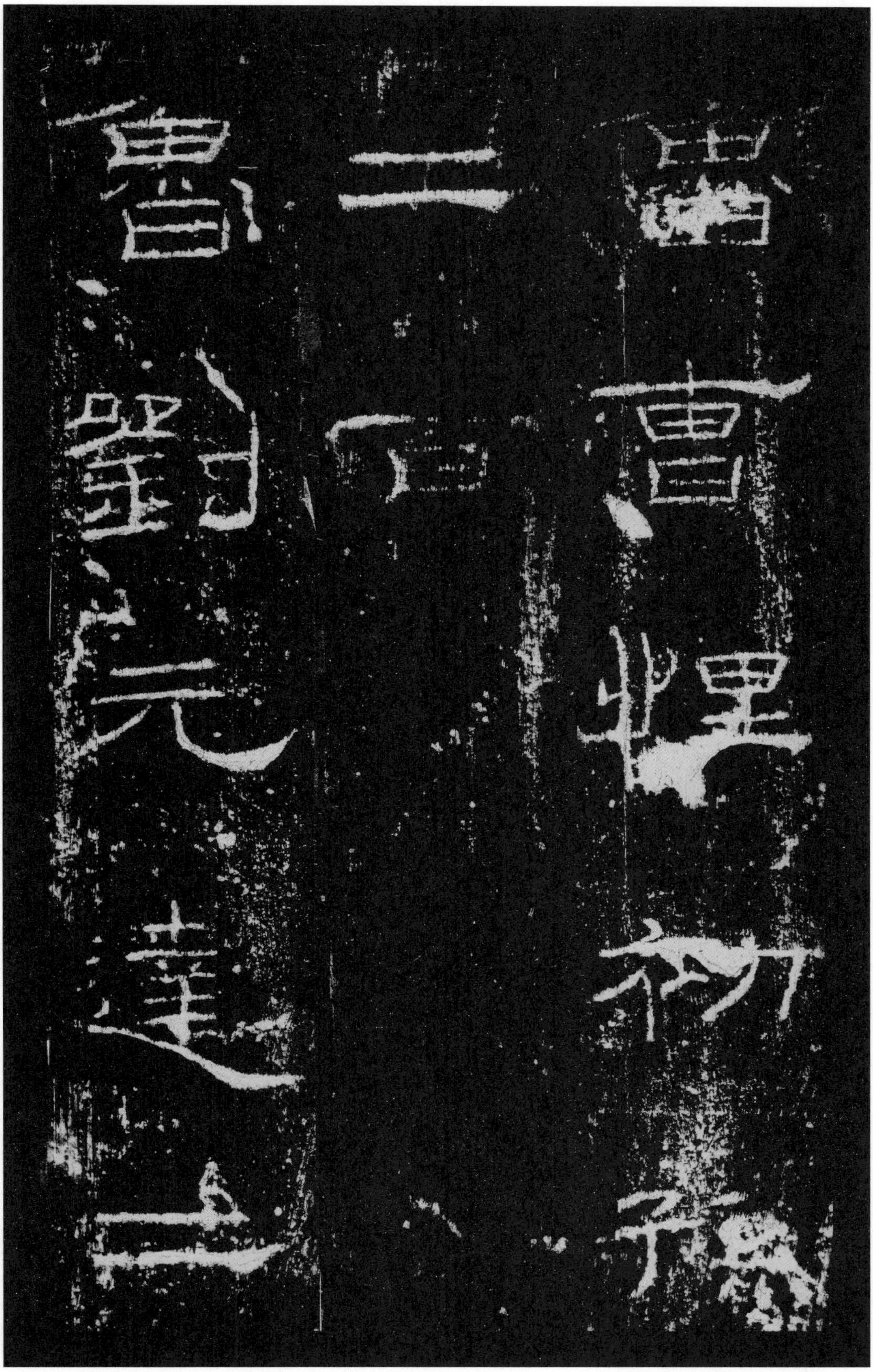

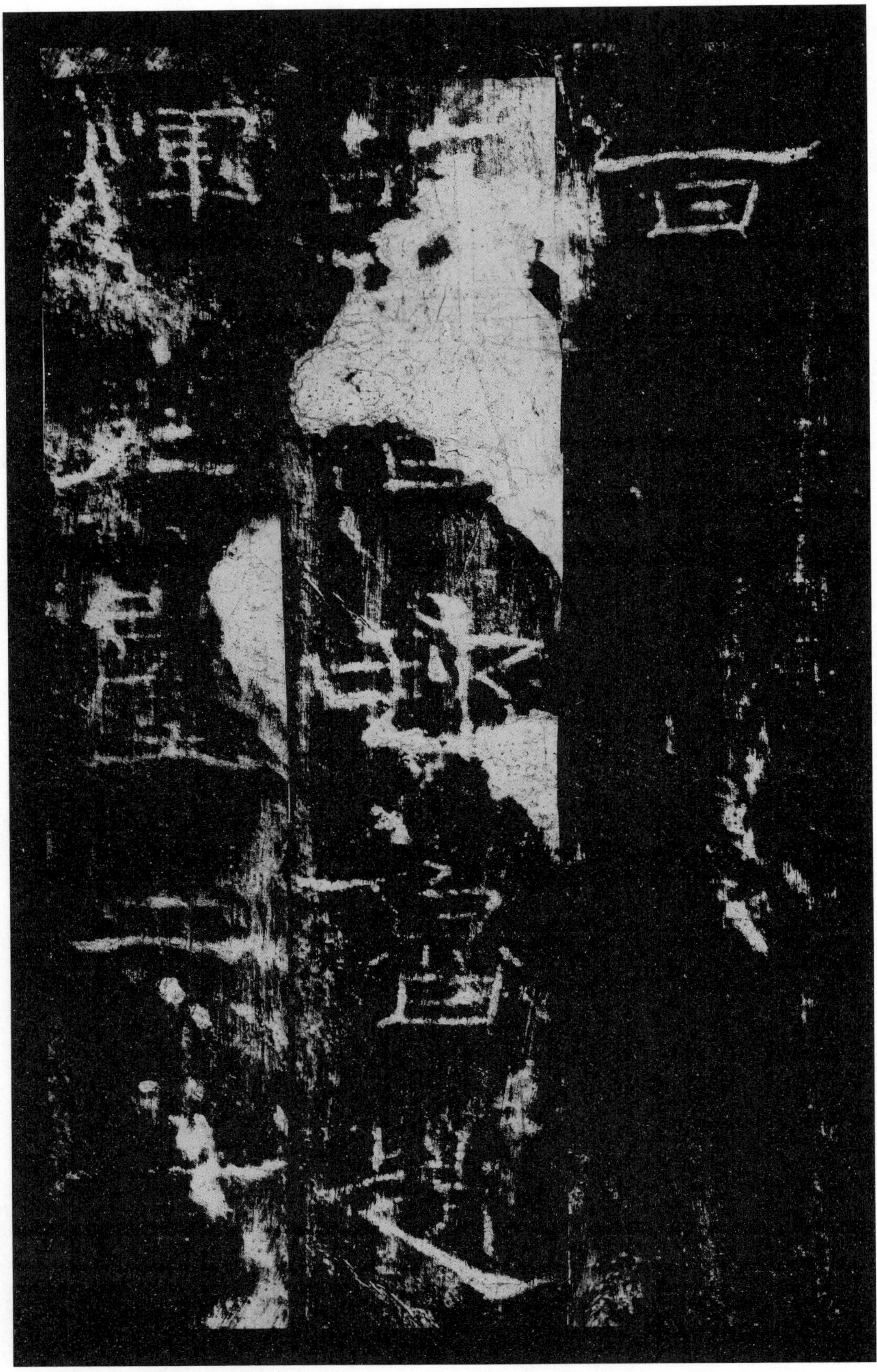

元世千
大秋
第十

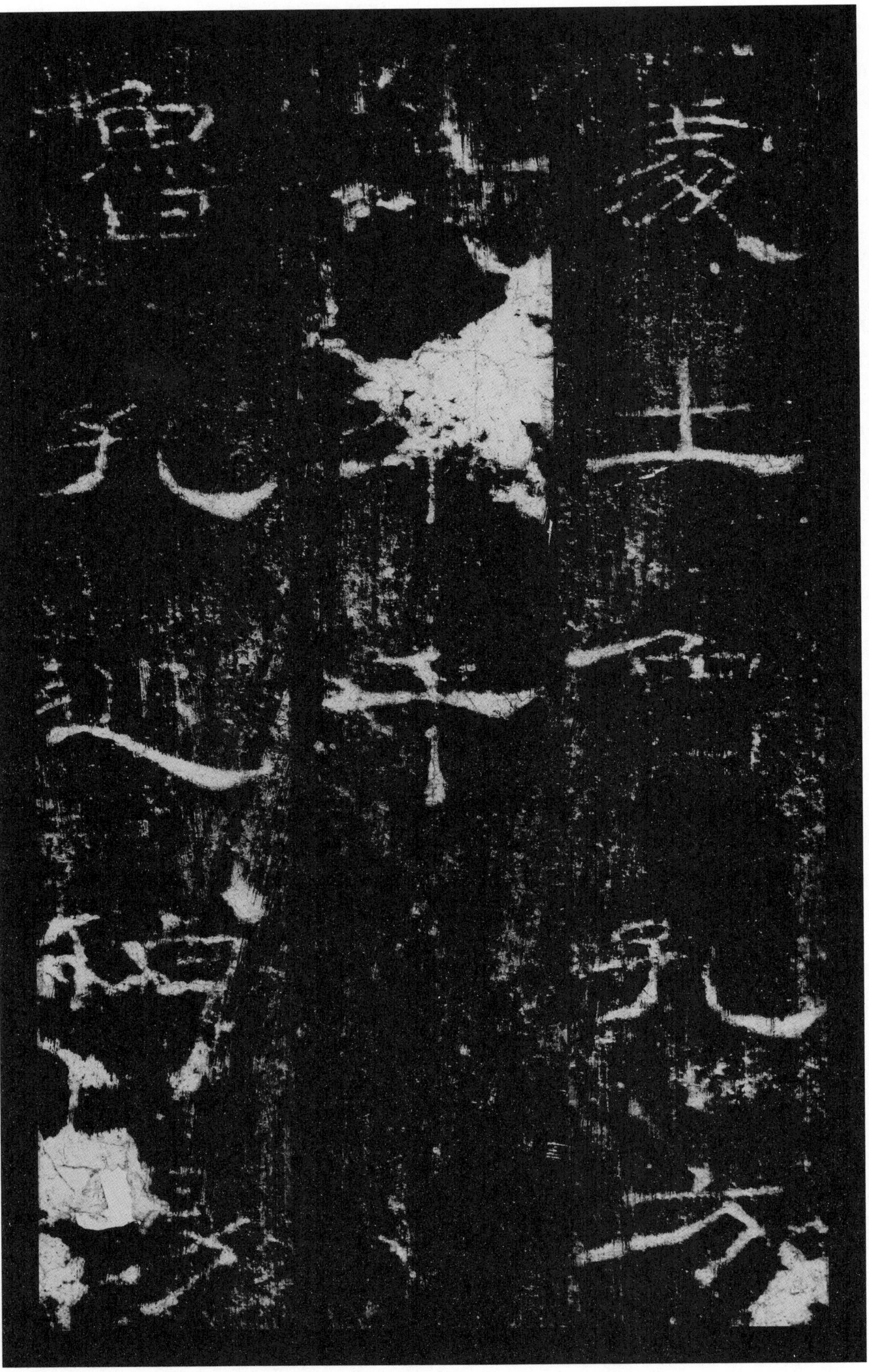

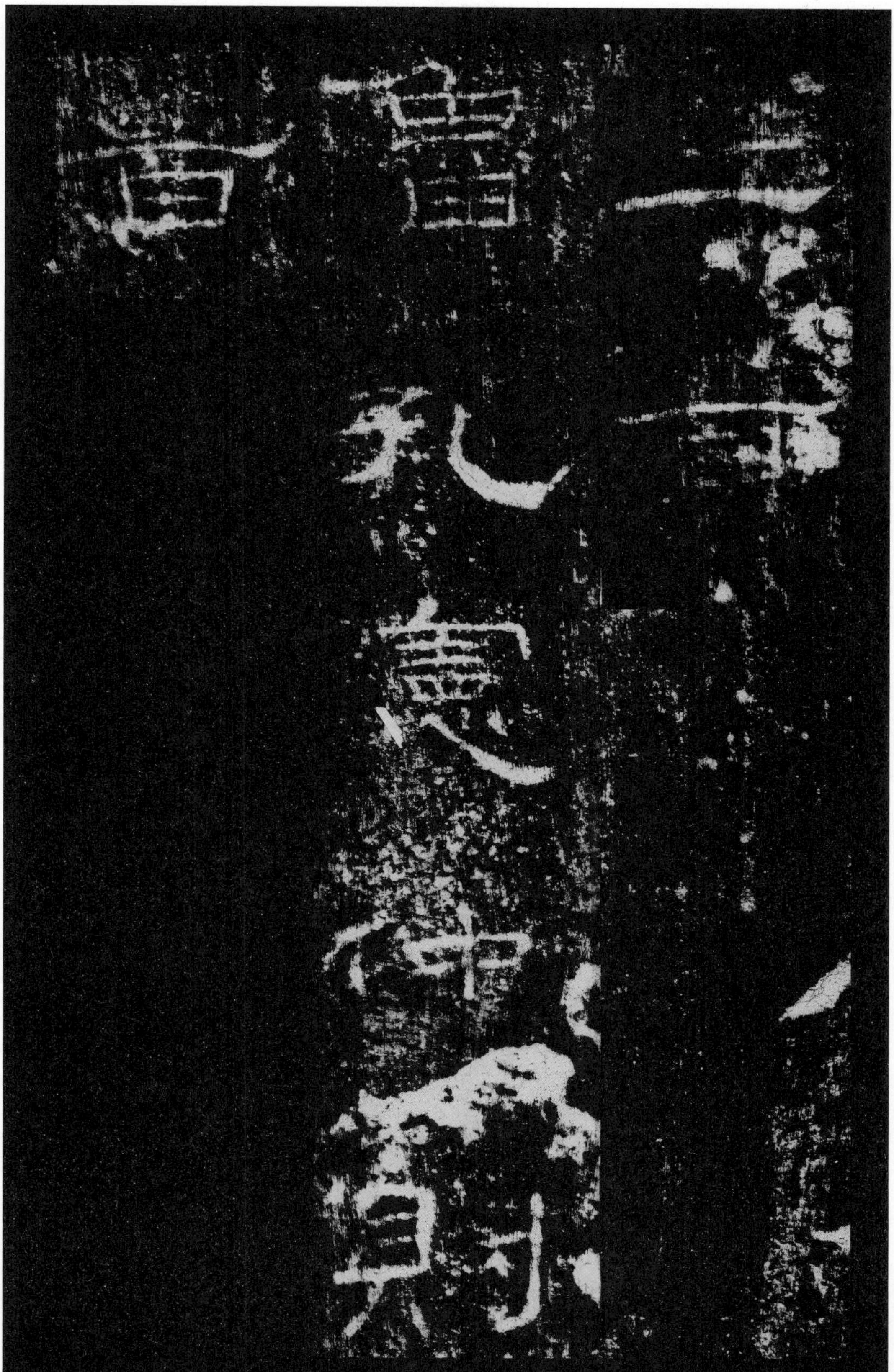
魯孔憲仲則
百

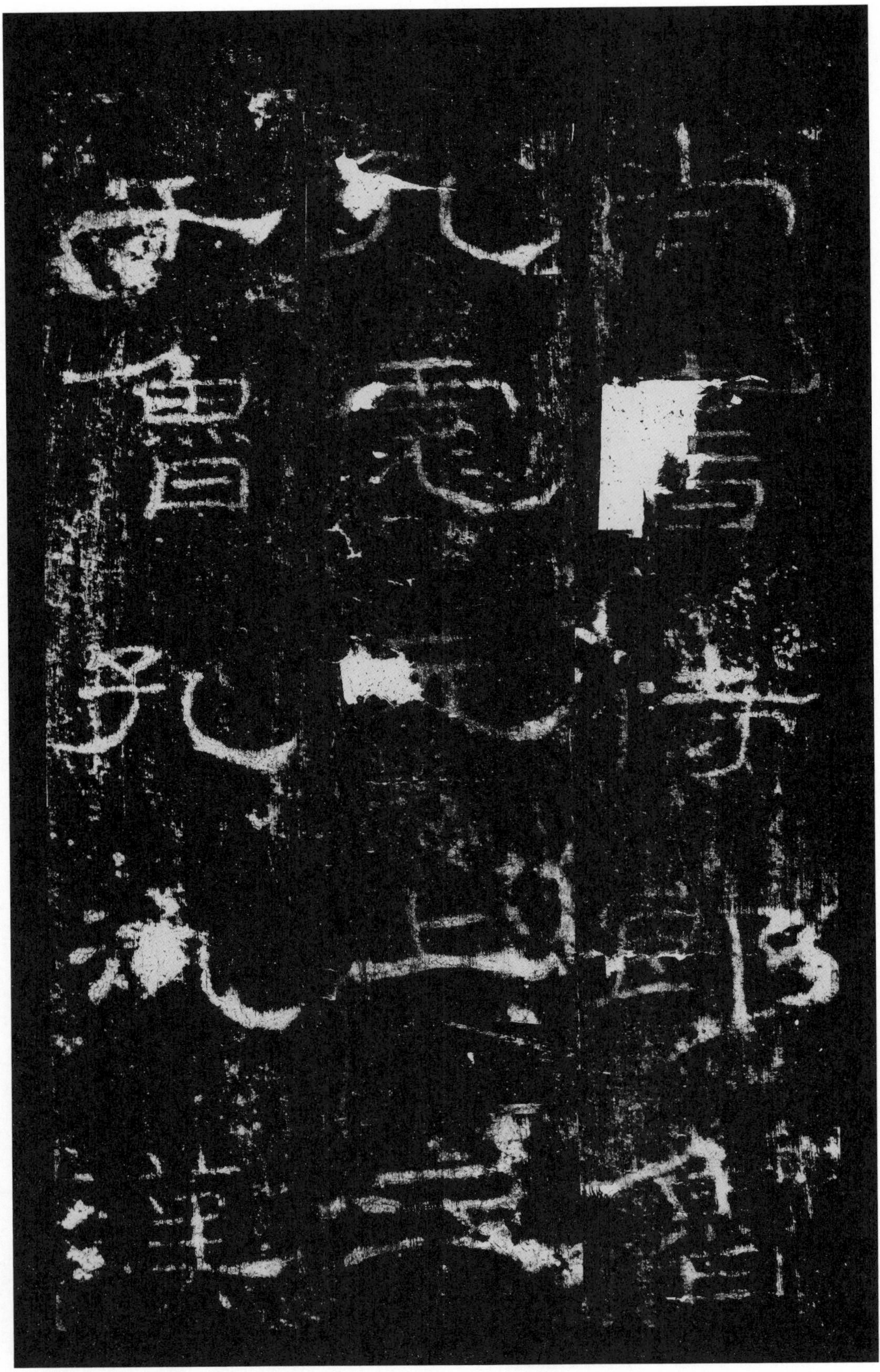

元一百
守廟百石卒
孔龢聖文

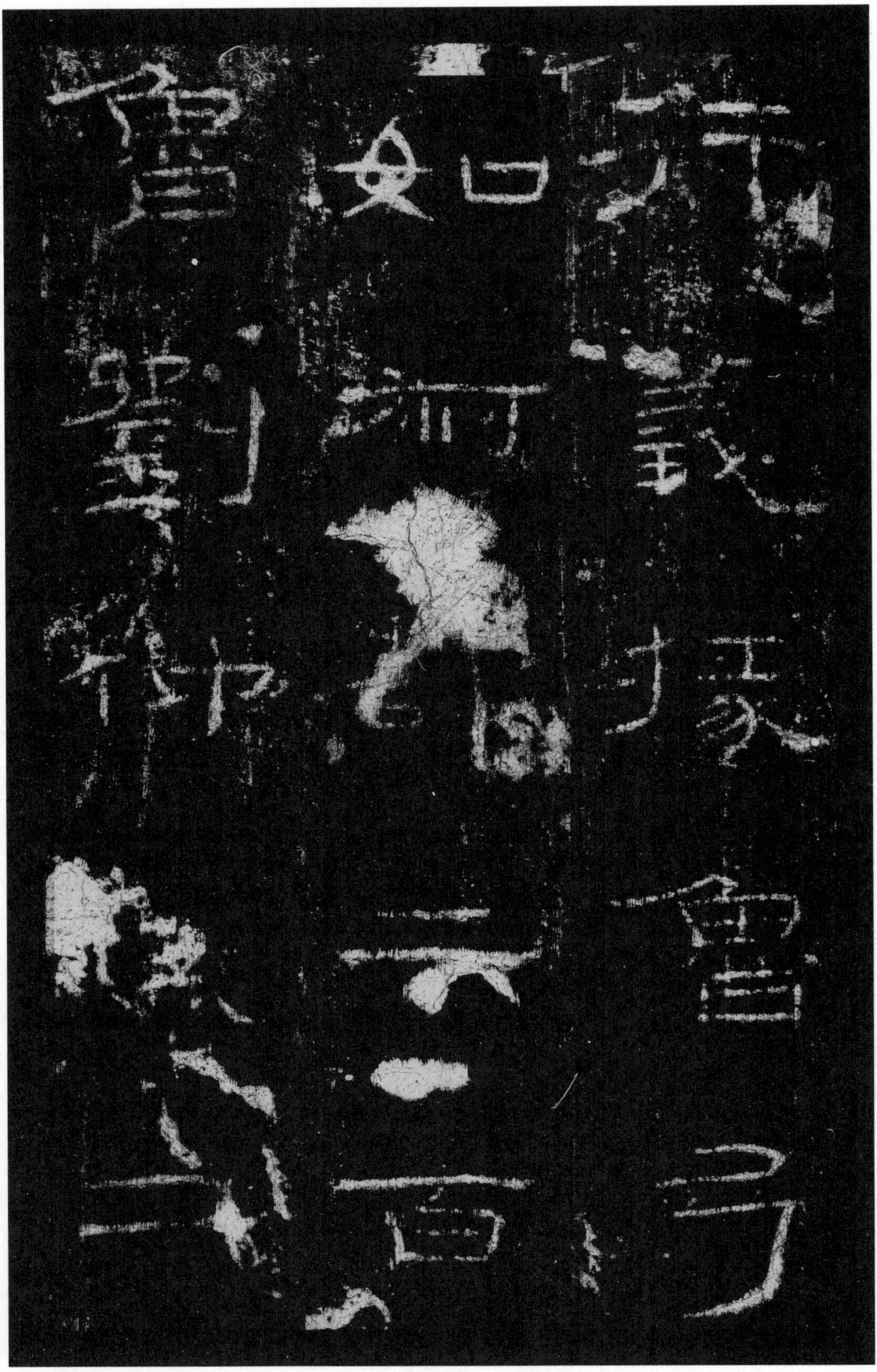

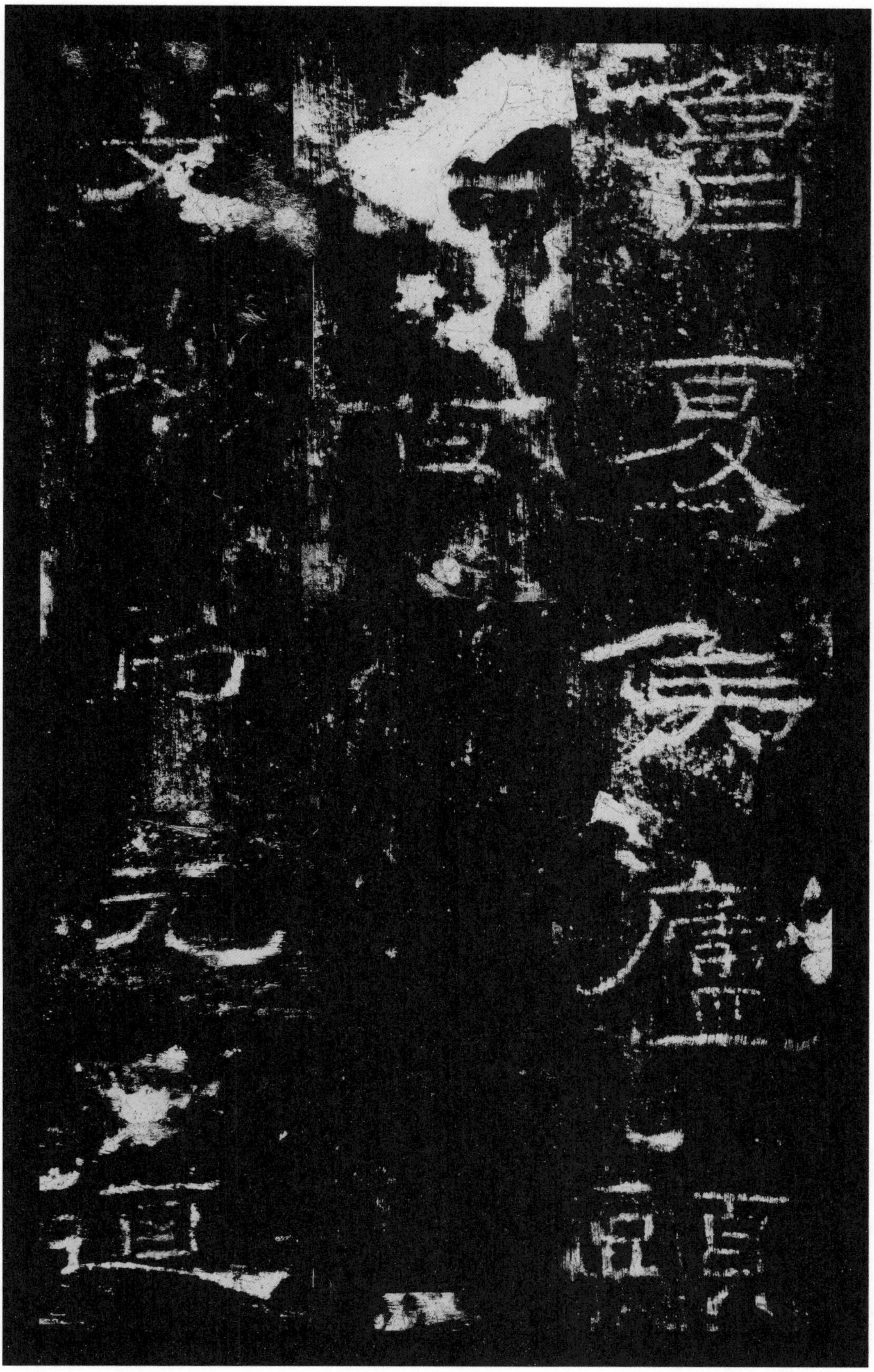

二百
安陽
文

遺西陽樂張普仲堅
故薛令河內溫朱熊伯珍

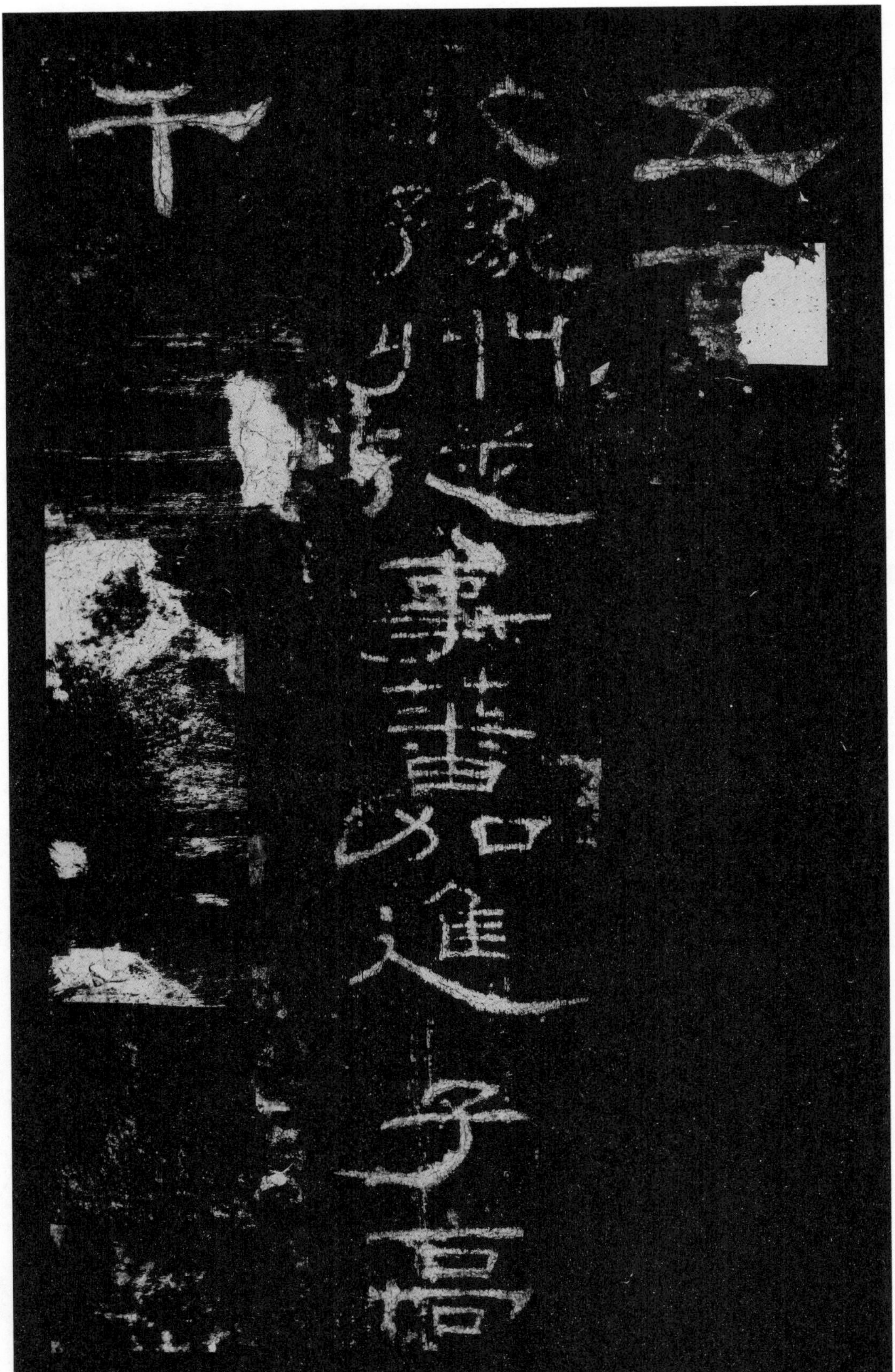

南陽宛張光
雒陽王毅子慎
山陽金鄉

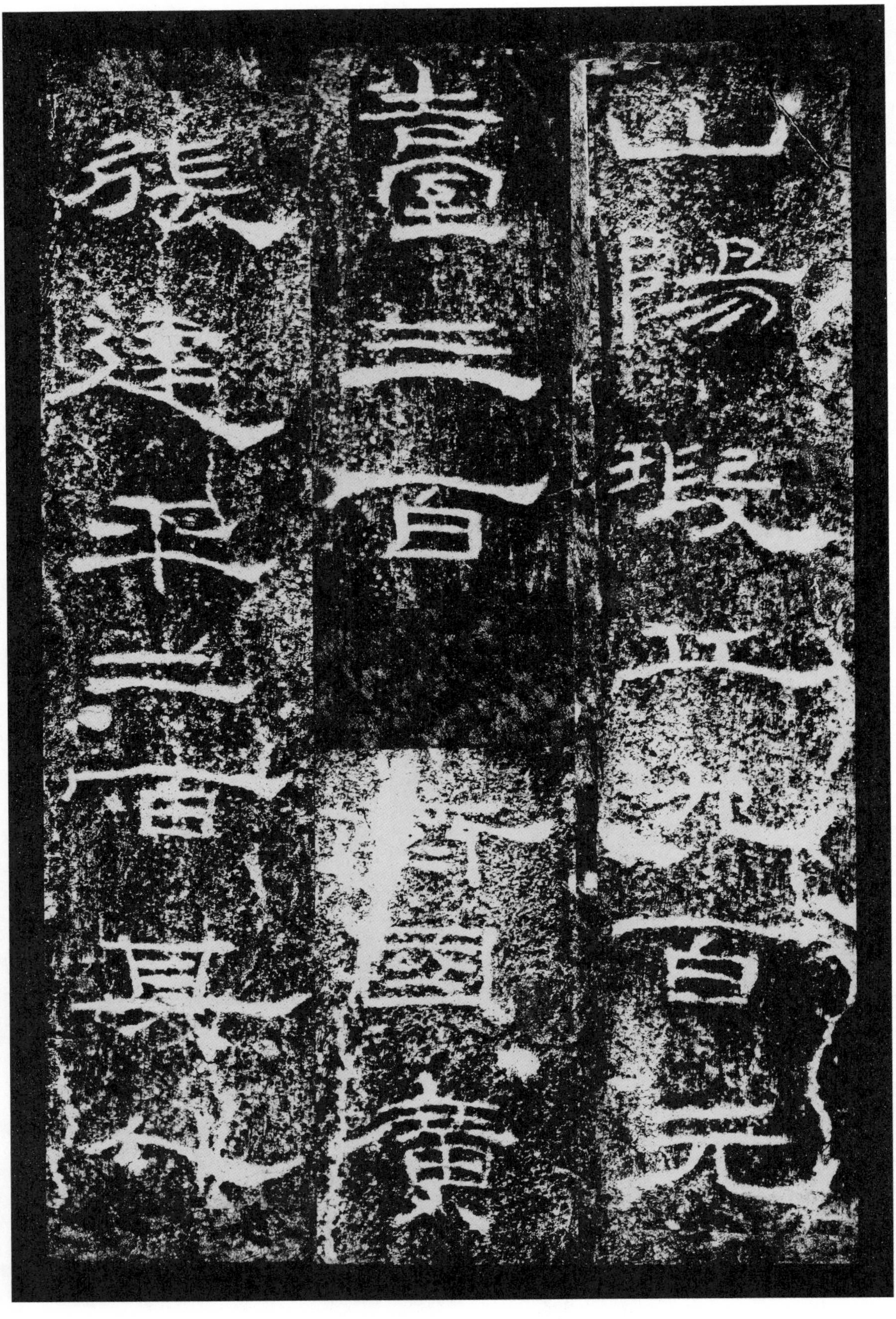

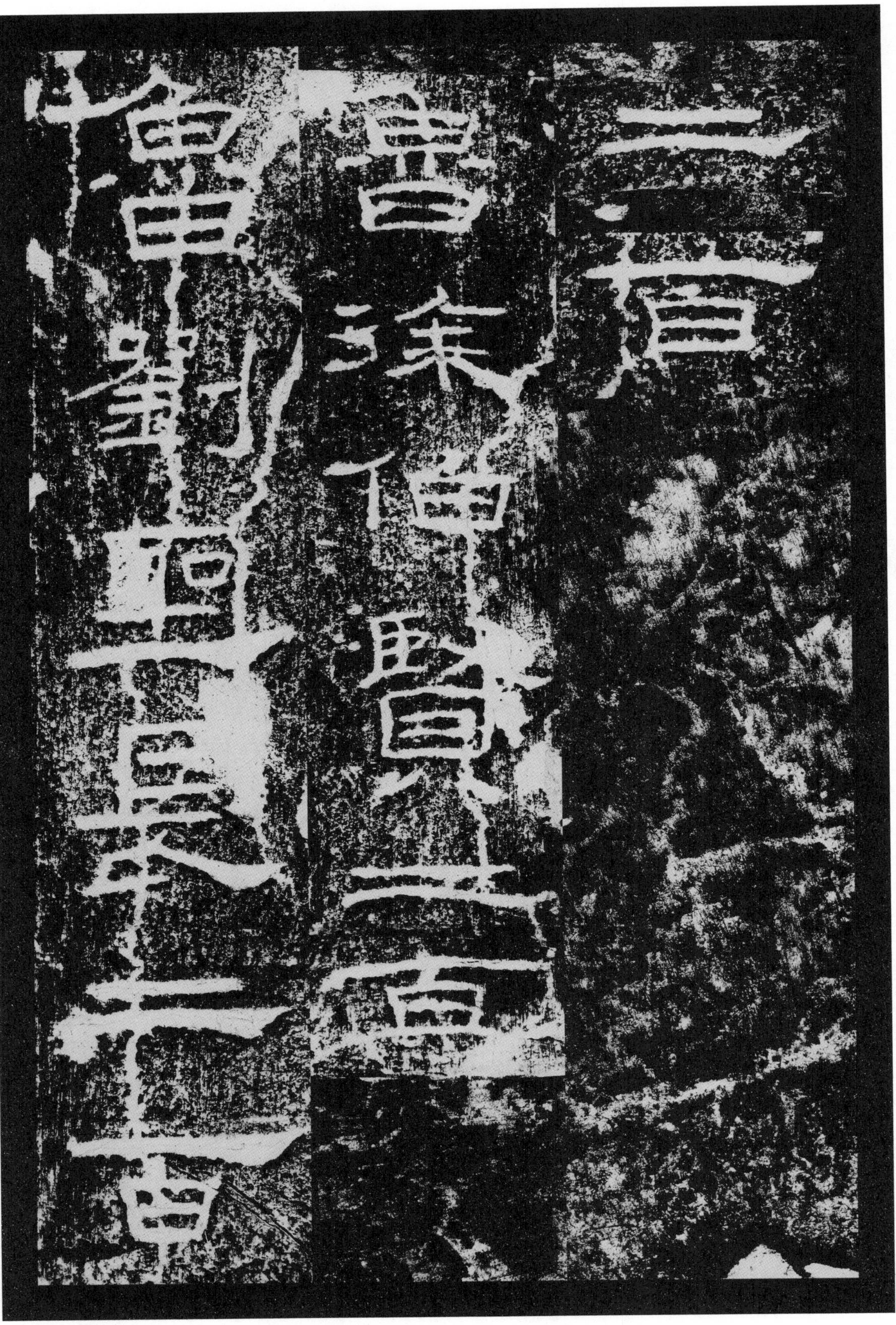
三百
魯孫何豐二百

河南偃師景鄉
衛國
河東平陰

河南雒陽

東郡武陽桓

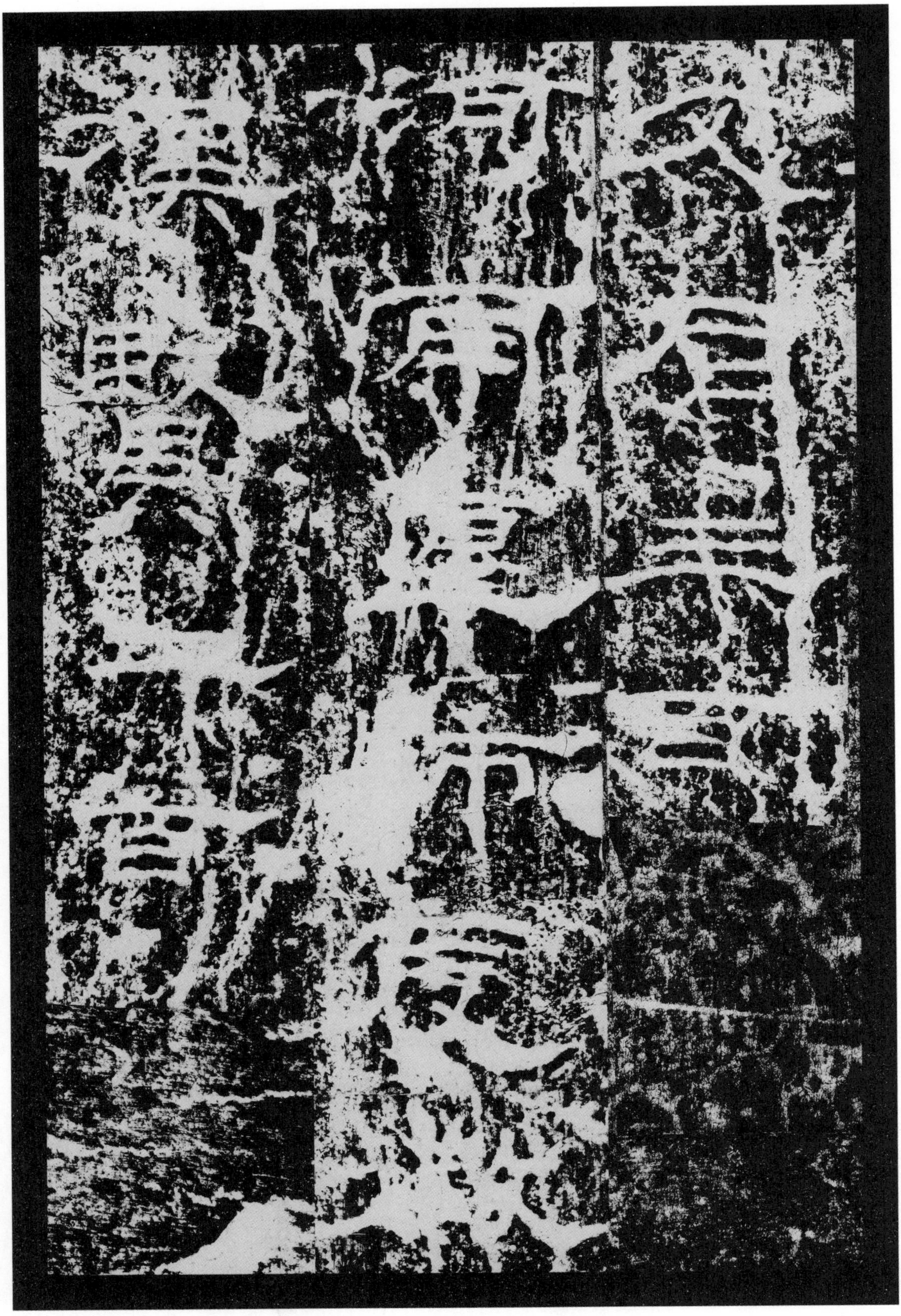

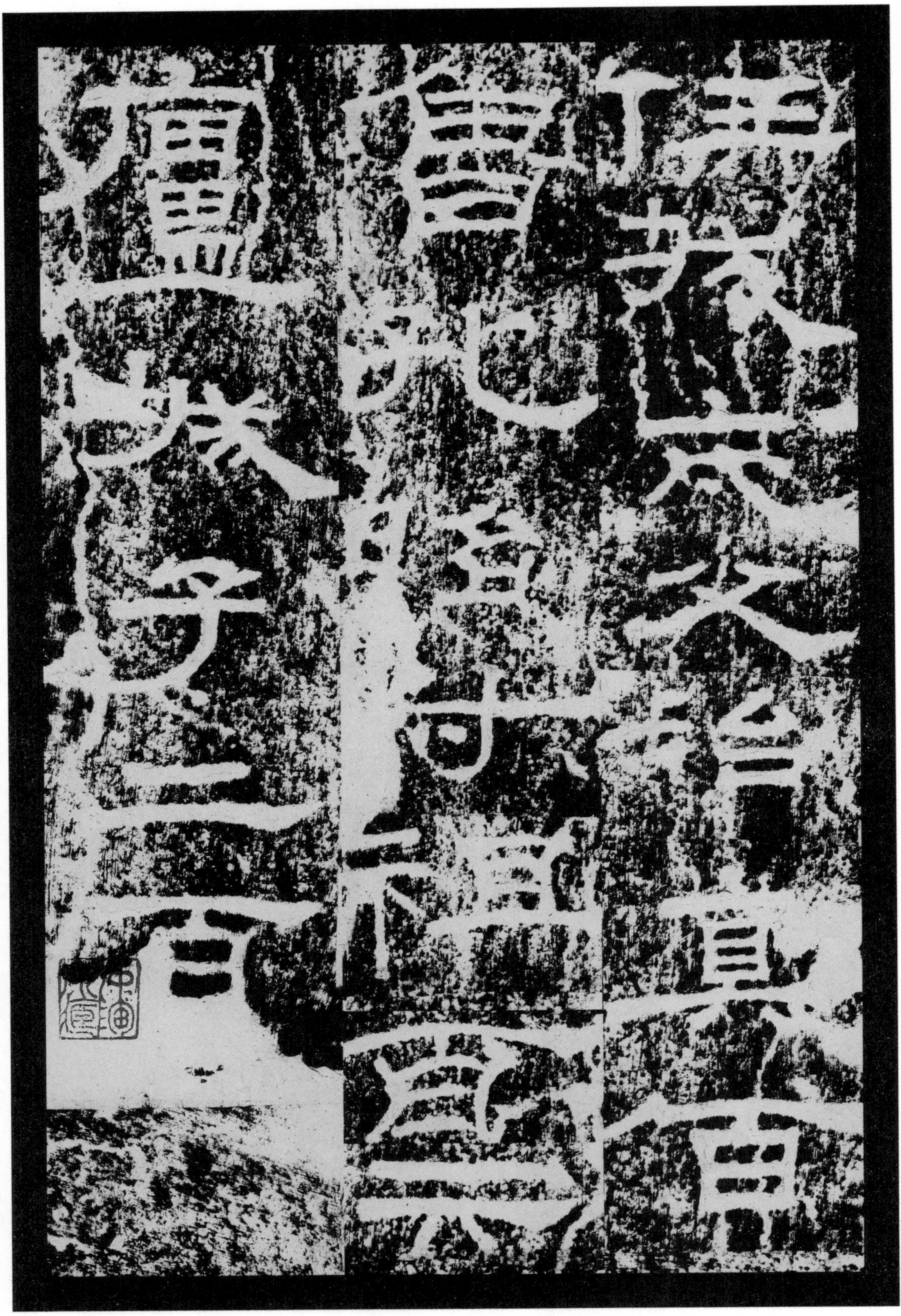

汉封龙山颂

封龙山颂

隶书。东汉延熹七年（一六四）立。石原在河北元氏西北四十五里五村山下，清道光二十七年（一八四七）移置于城中文清书院。此碑字迹笔画流畅，遒劲豪放，极有气魄。

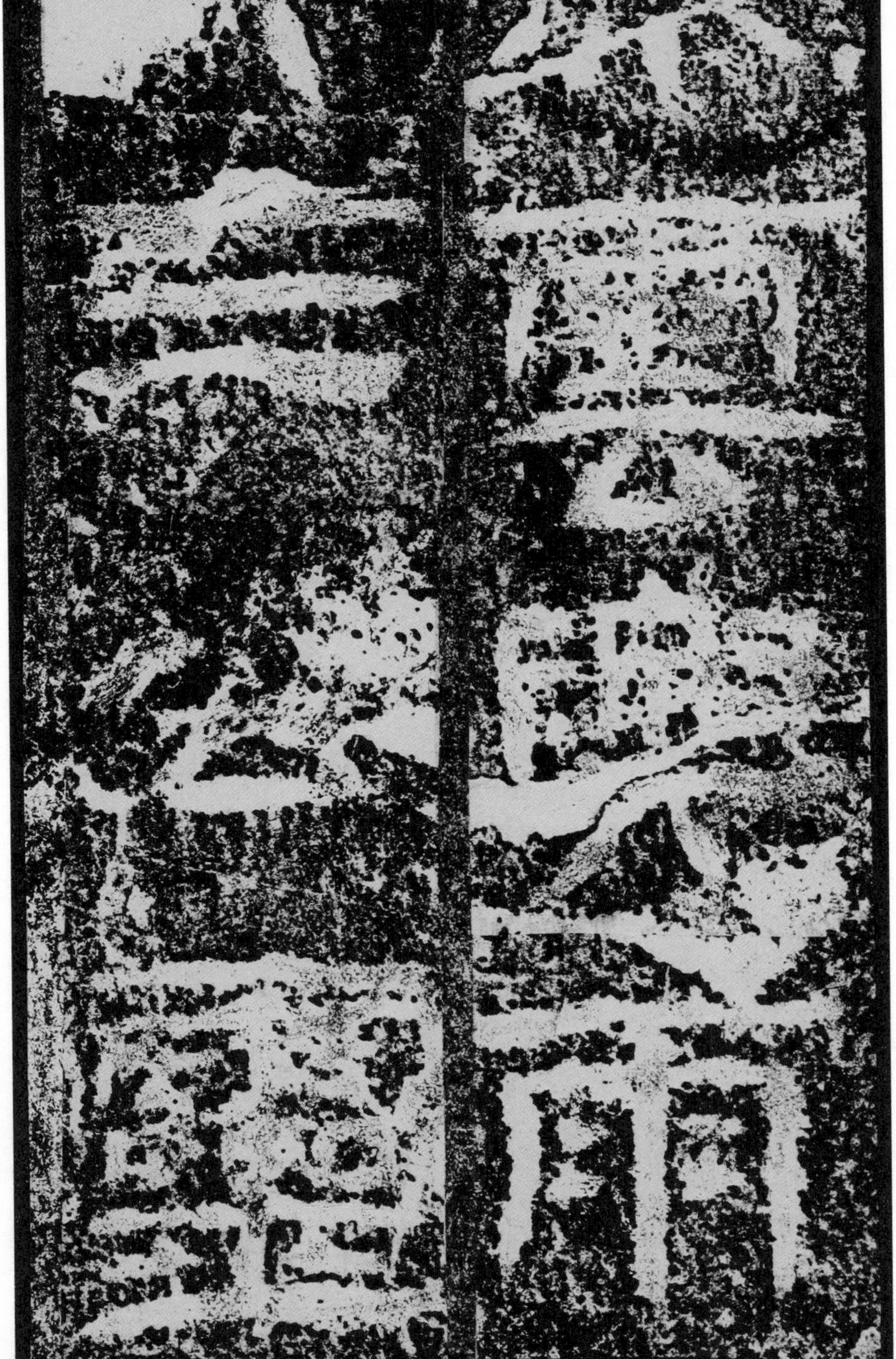

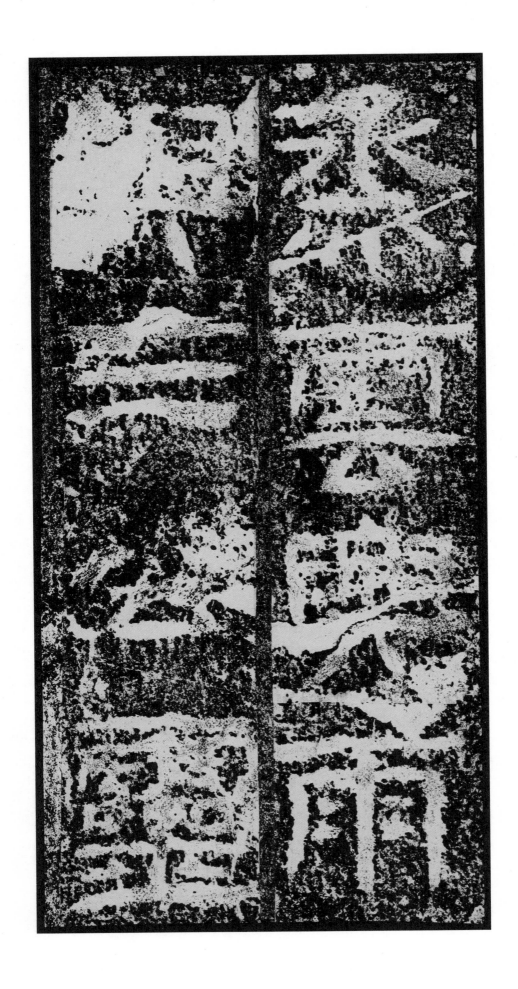

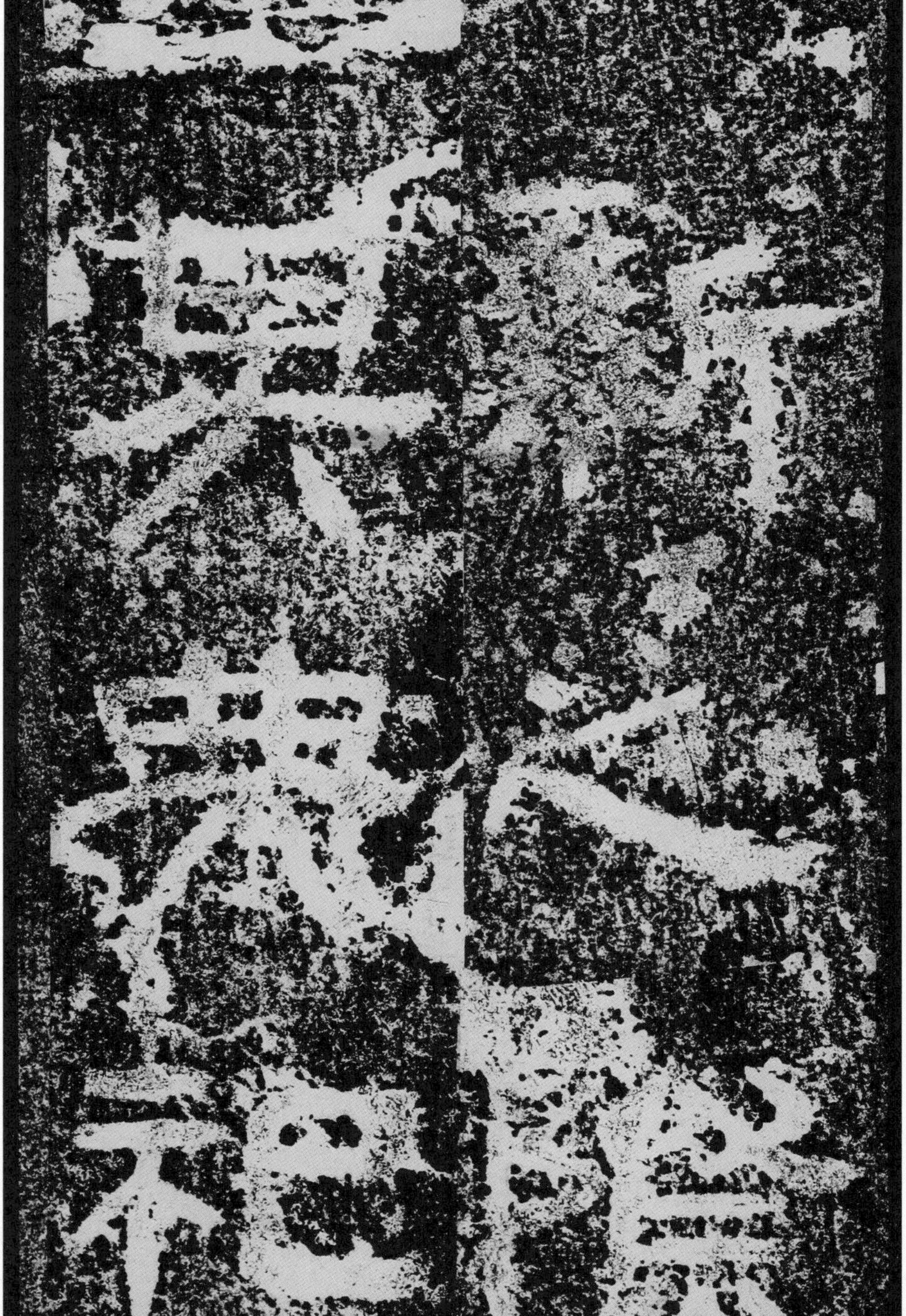

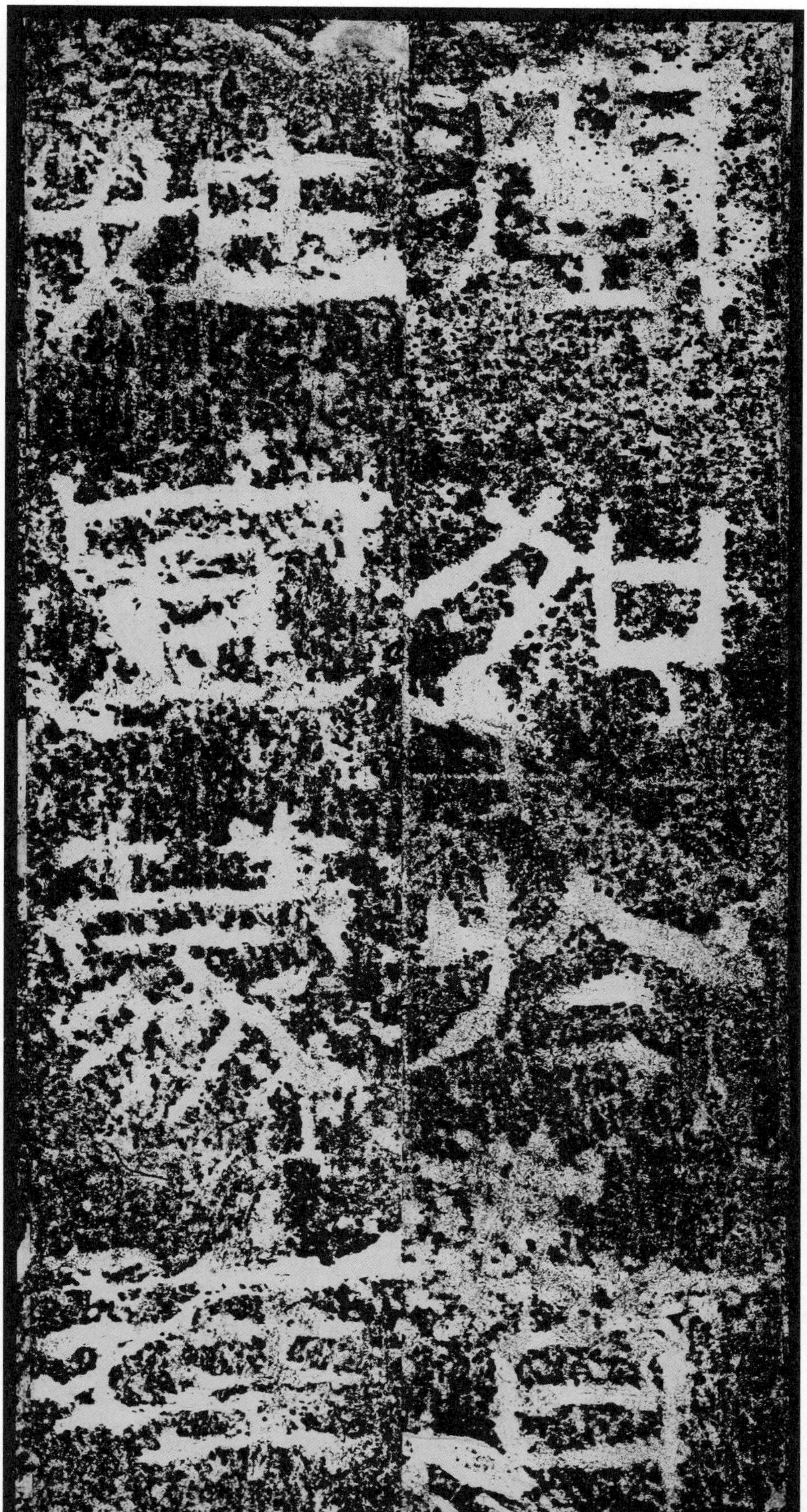

汉史晨前后碑

史晨碑

隶书。此碑两面刻，故亦称《史晨前后碑》，前碑全称《鲁相史晨祀孔子奏铭》，后碑全称《鲁相史晨飨孔庙碑》，均未置书人姓名，立于东汉建宁二年（一六九）。前碑的底部一行字，原来嵌在碑趺内，故明代及清初的拓本，每行皆少最后一字、这里影印的是明代拓本。原石现存山东曲阜孔庙。

此碑前后两刻如出一手，书法端庄严谨，古厚朴茂，是成熟的汉隶，且刻工很精，用笔的轻重顿挫，表达得很清楚，极宜初学。

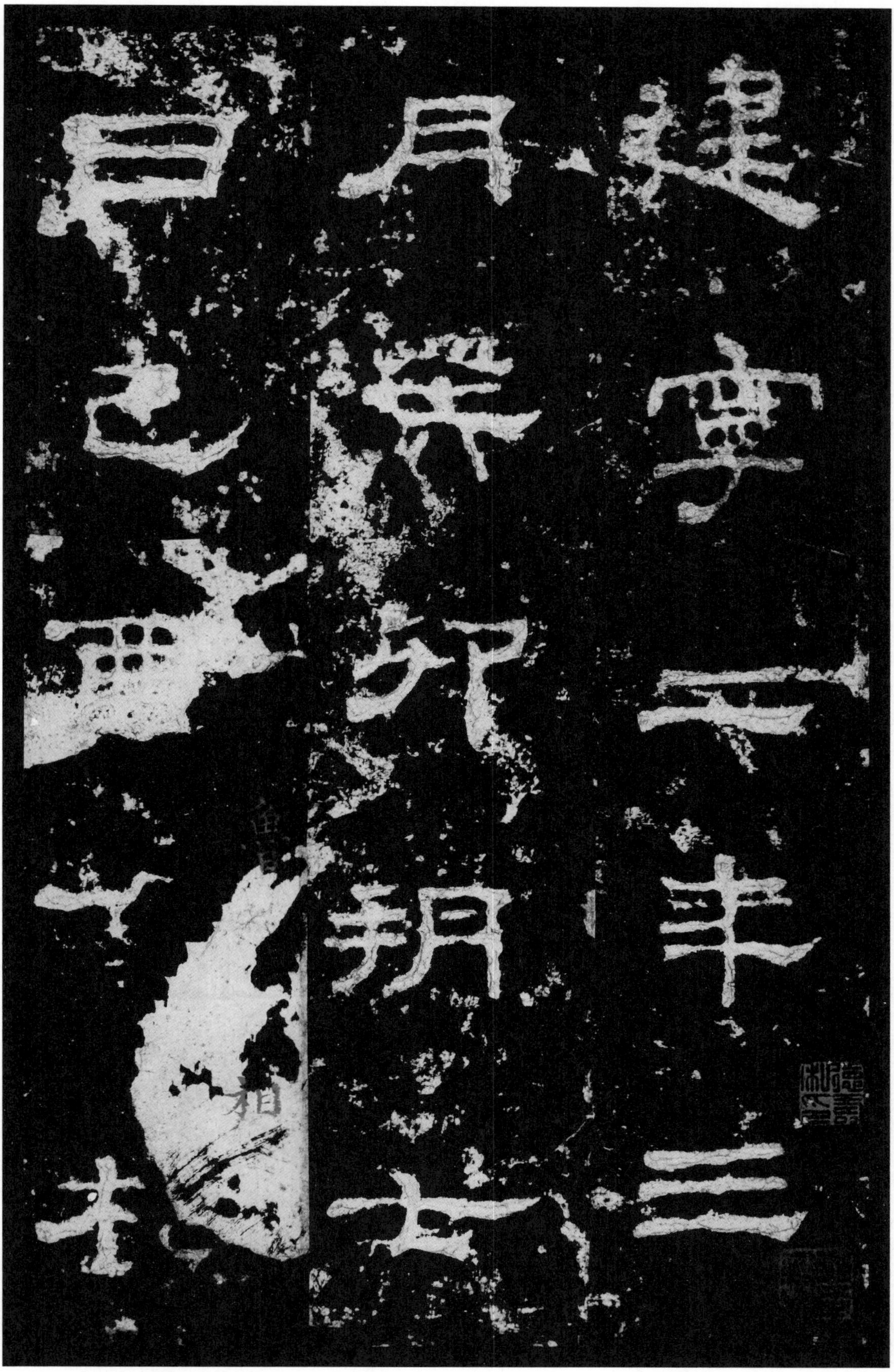
建寧二年三
月癸卯朔七
日己酉魯相

臣晨長史臣
謙頓首死罪
上

尚書臣晨頓
首頓首死罪
死罪臣蒙厚

恩為任侍守

得佐奮婁周

紀實宮不鼠

弘德政恢
壹變夙夜憂
怖累息屏營

臣晨頓首頓
首死罪死罪
臣以建寧元

年到官行秋
饗飲酒畔宮
復禮孔子宅

拜謁神坐仰
瞻榱桷俯視
几筵靈所馮

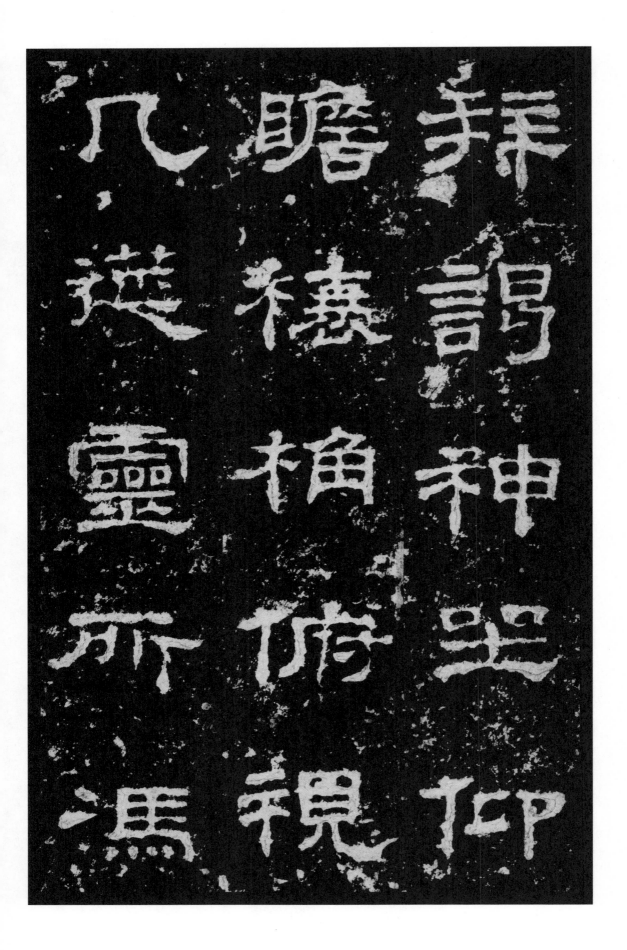

祀肅肅猶存
而無公出酒
脯之祠臣卽

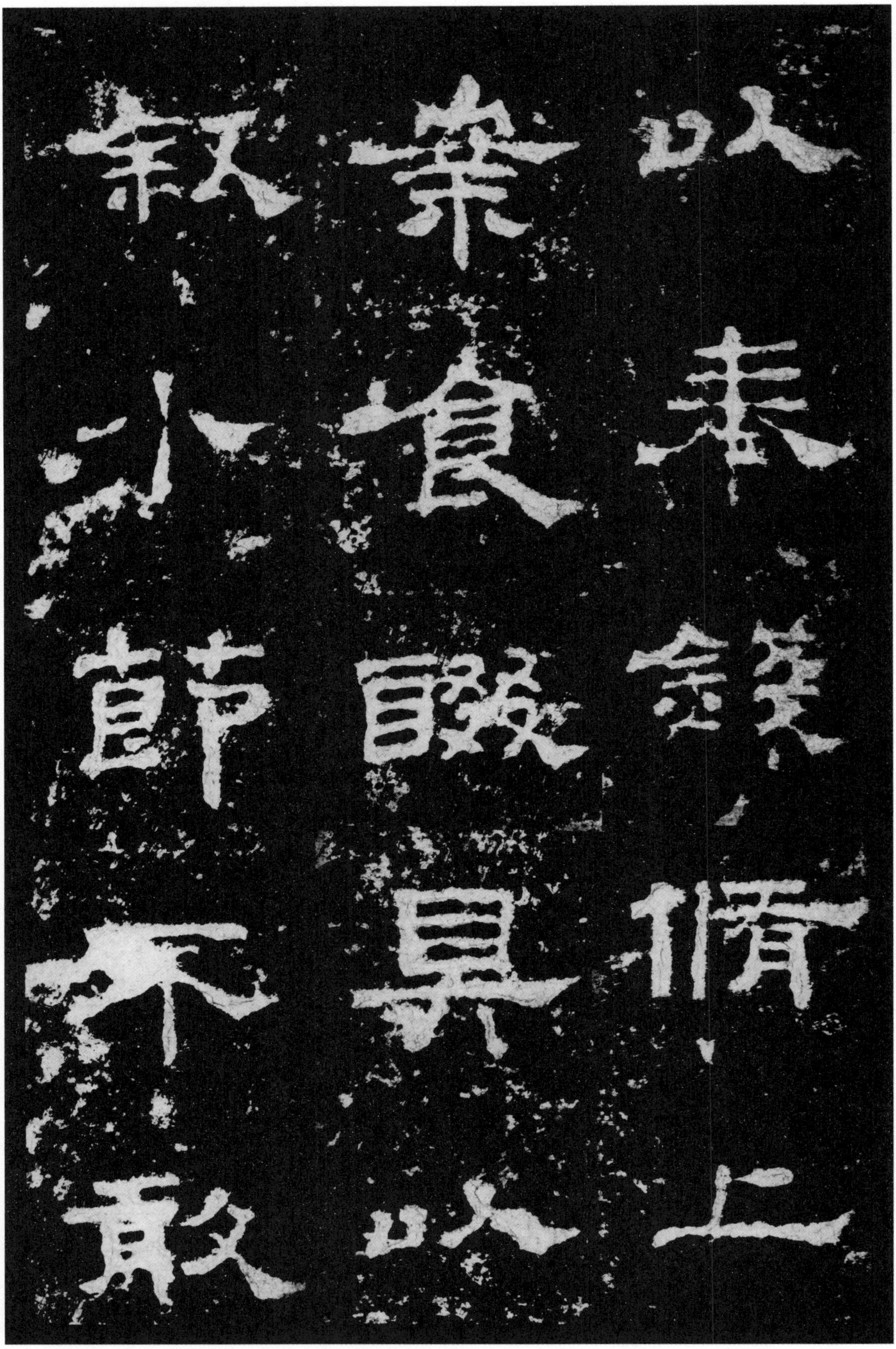
以奉錢脩上
案食醊具以
叙小節不敢

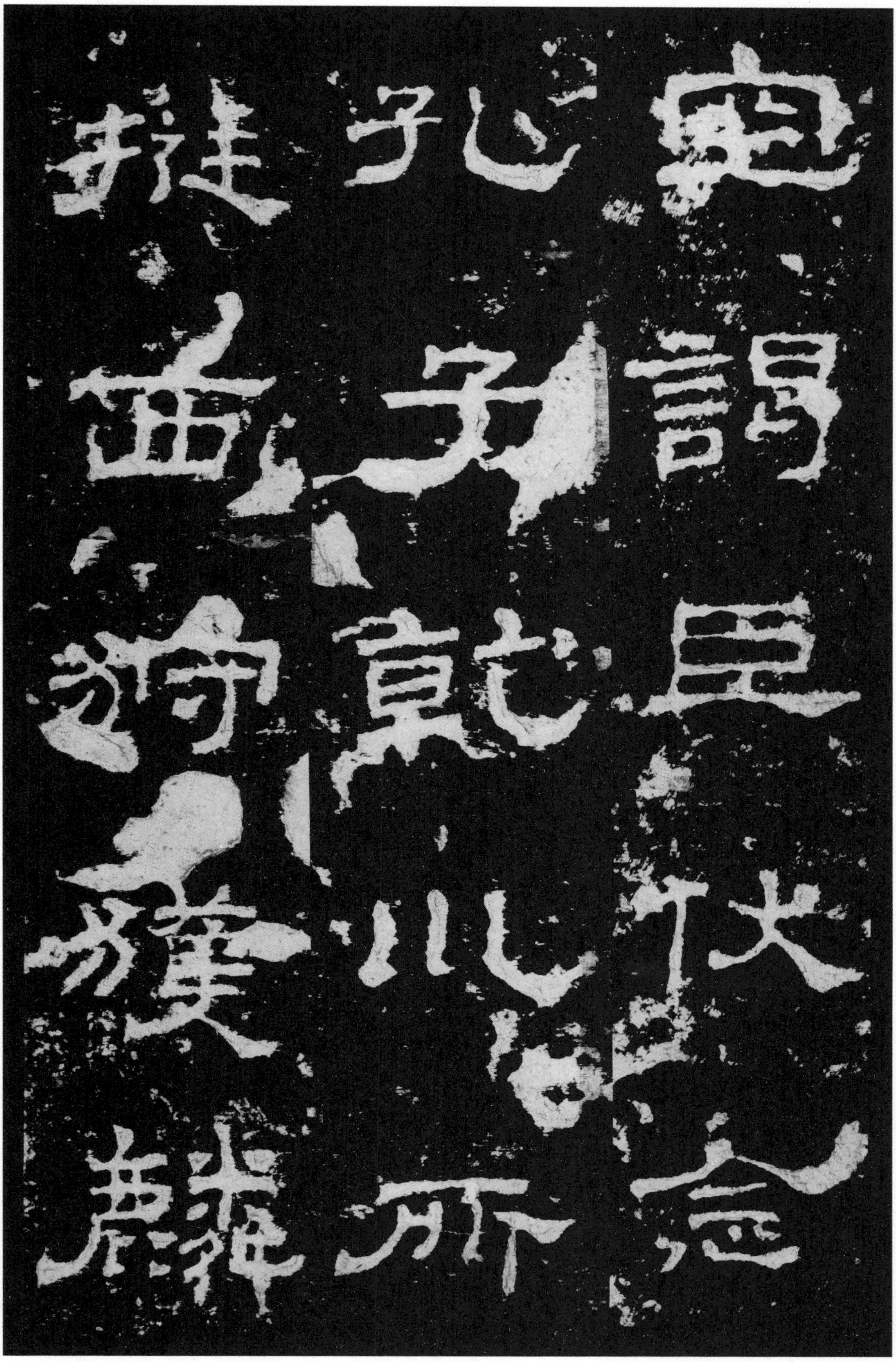
宜謂臣伏念
孔子乾坤所
挺西狩獲麟

為漢制作故
經援神挈曰
玄丘制命帝

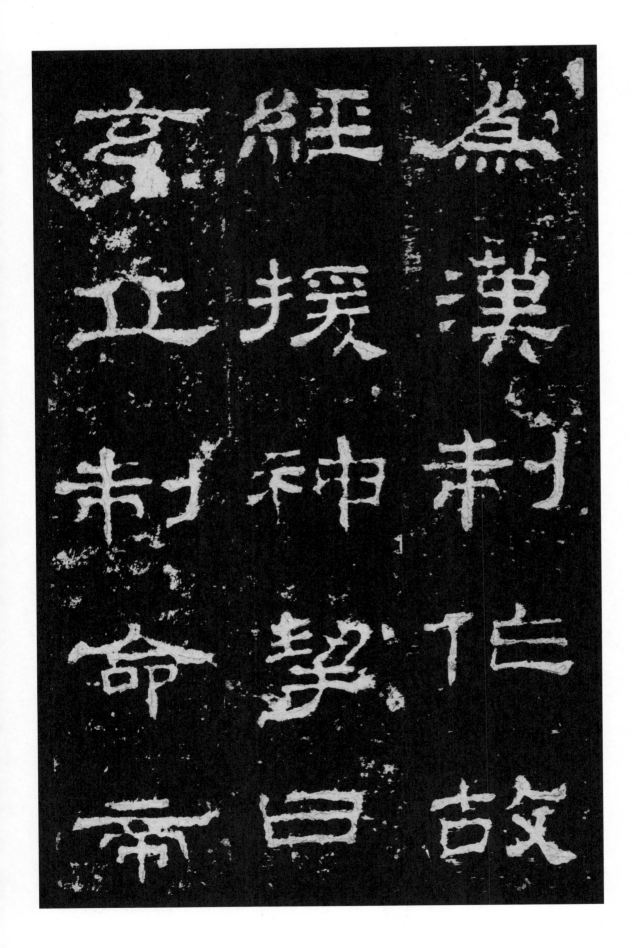

卯許文尚書
孝靈權曰[illegible]
生倉際觸朝

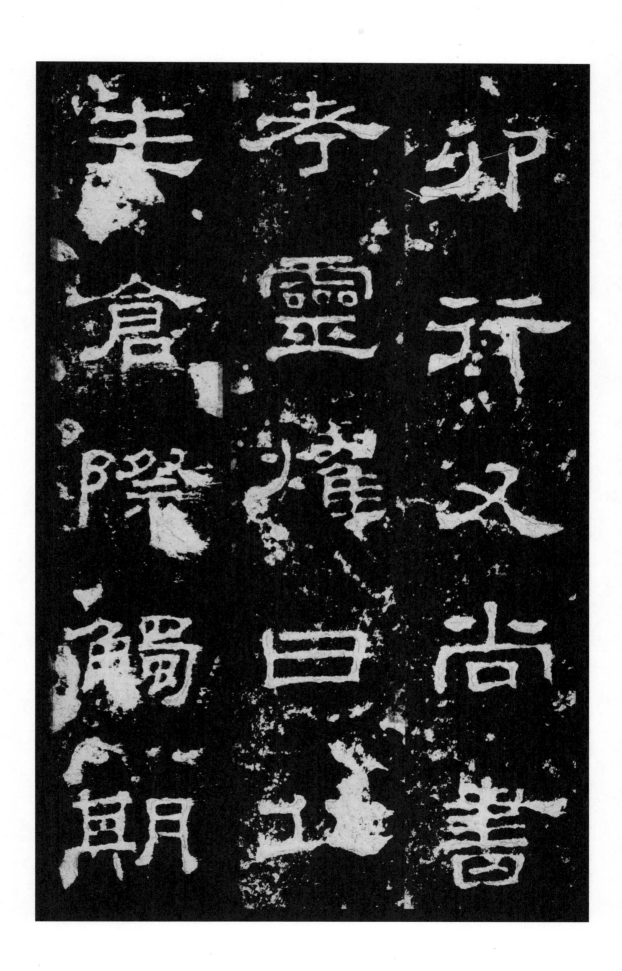

稽度為赤制
故作春秋以
文命綴紀撰

書修忠禮義
學以為素王
稽古德望皇

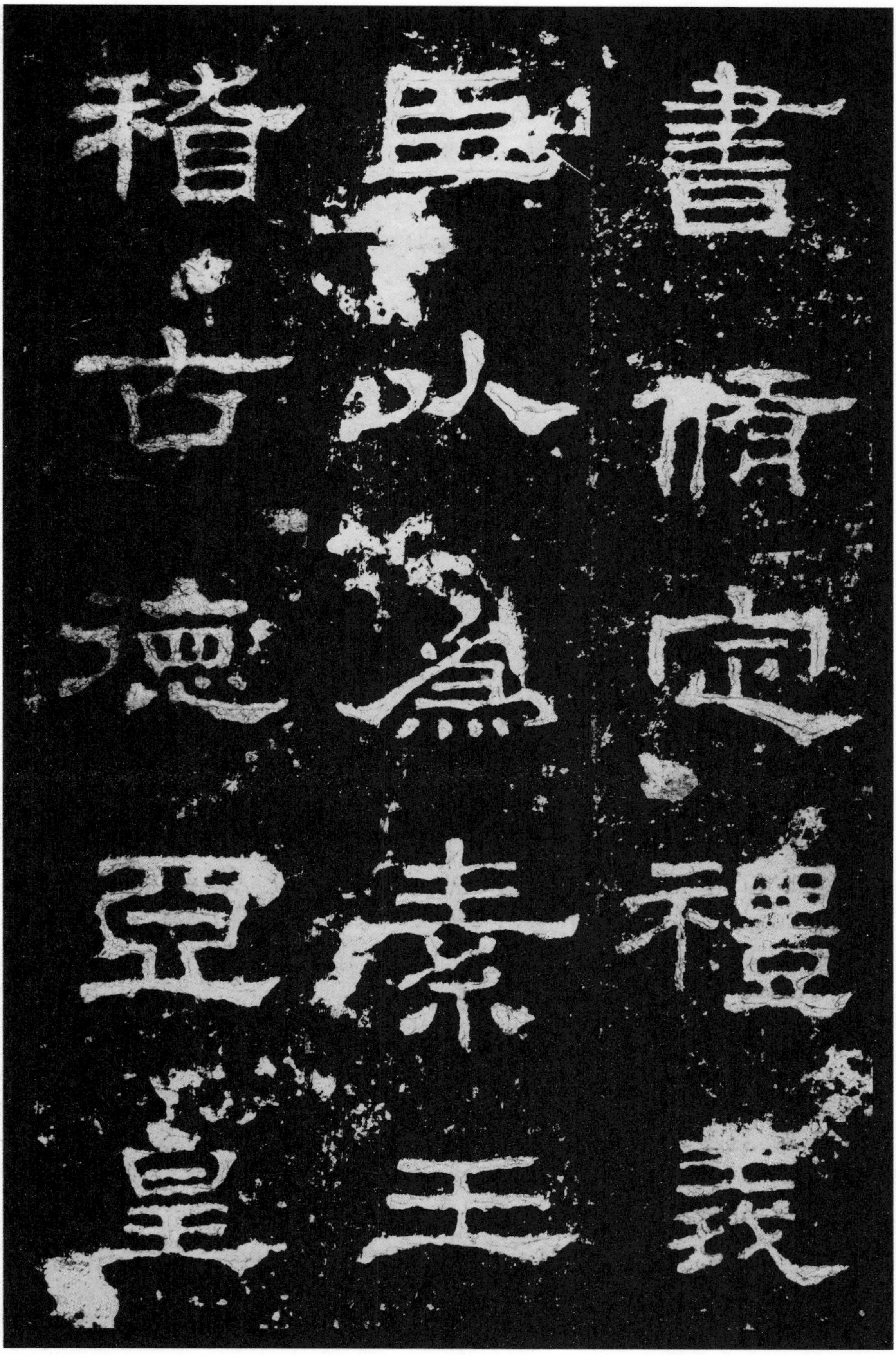

代雖有襃成
世享之封四
時來祭畢即

國臣伏見臨
辟雍日祠孔
子以大牢長

支循爵所以

亭洗陸重敦

何也夫封土

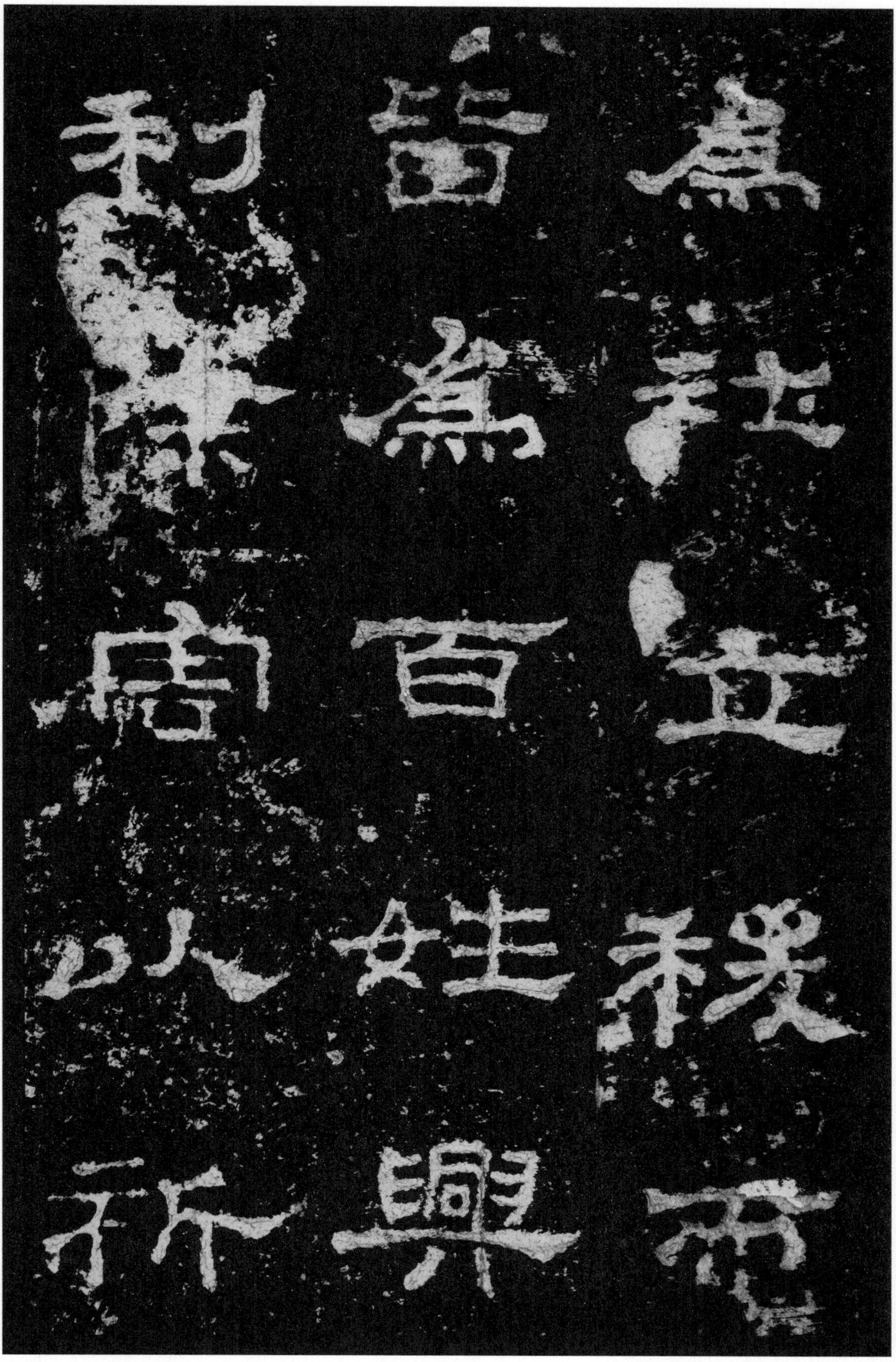
為社稷而
吉為百姓興
利除害以祈

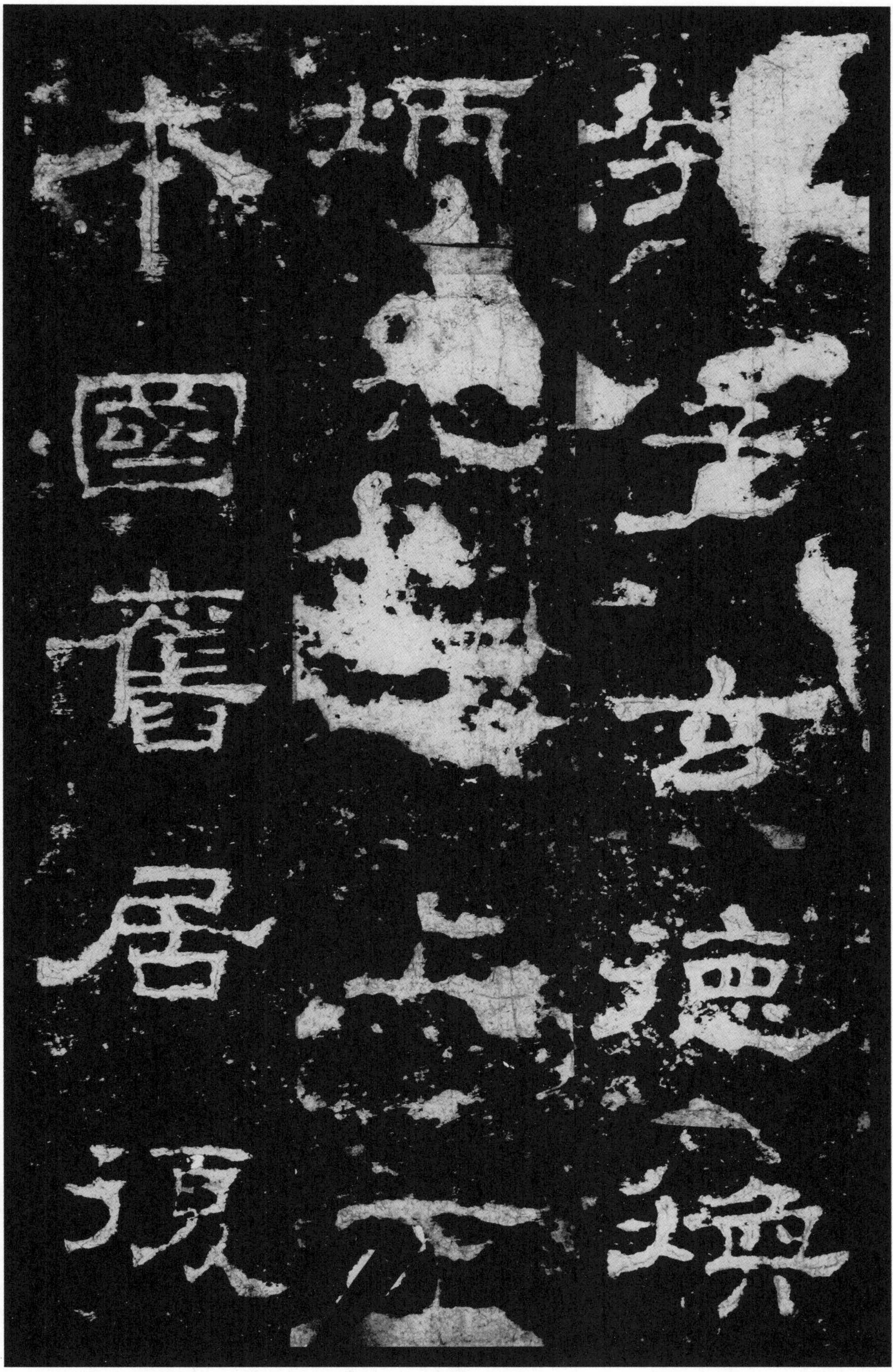
字玄德煥
炳
本國舊居復

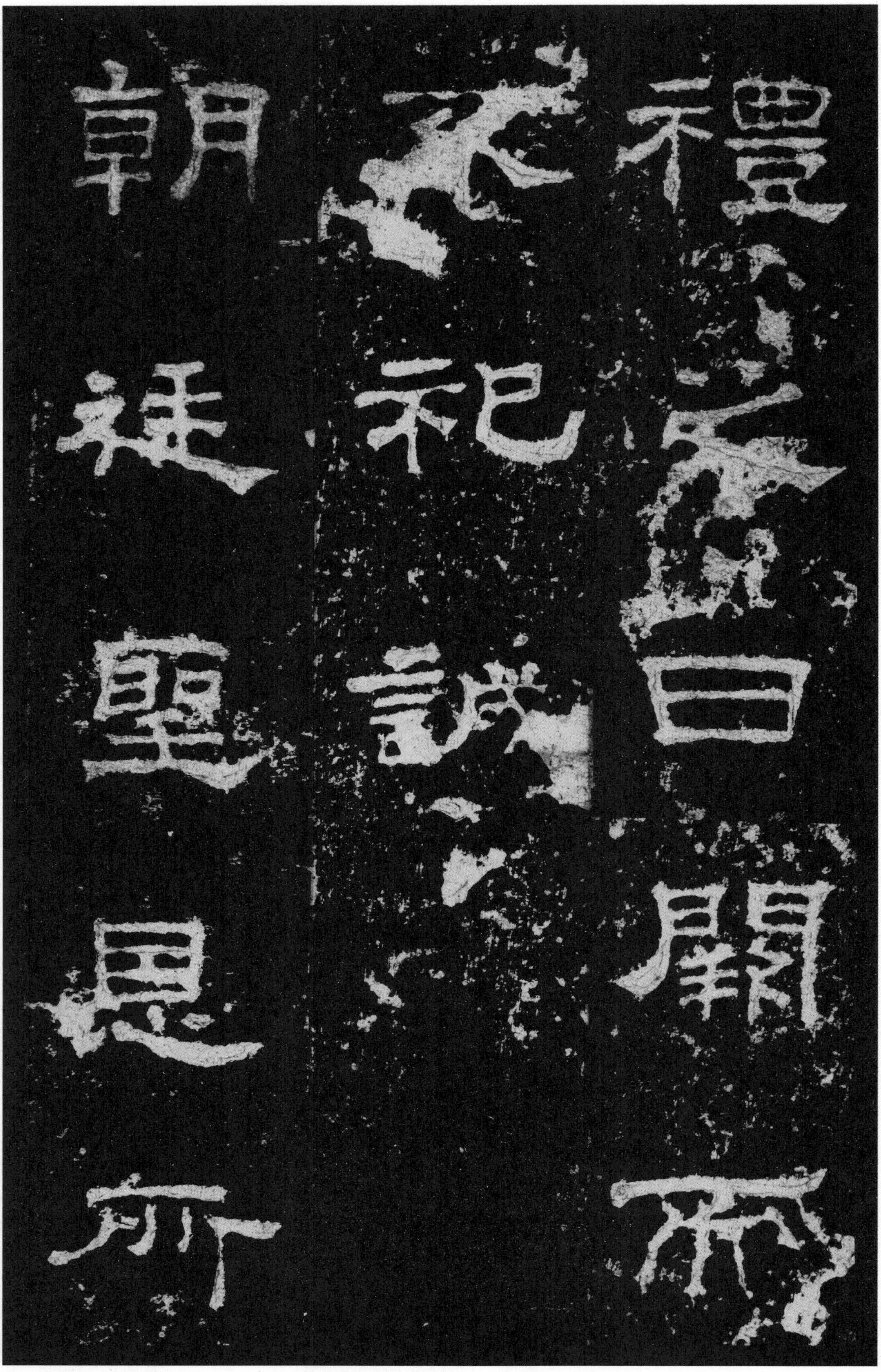
禮
曰
闕
祀
讖
朝廷聖恩所

宜特加臣寔
息厥厥情邪
思惟臣朝佐

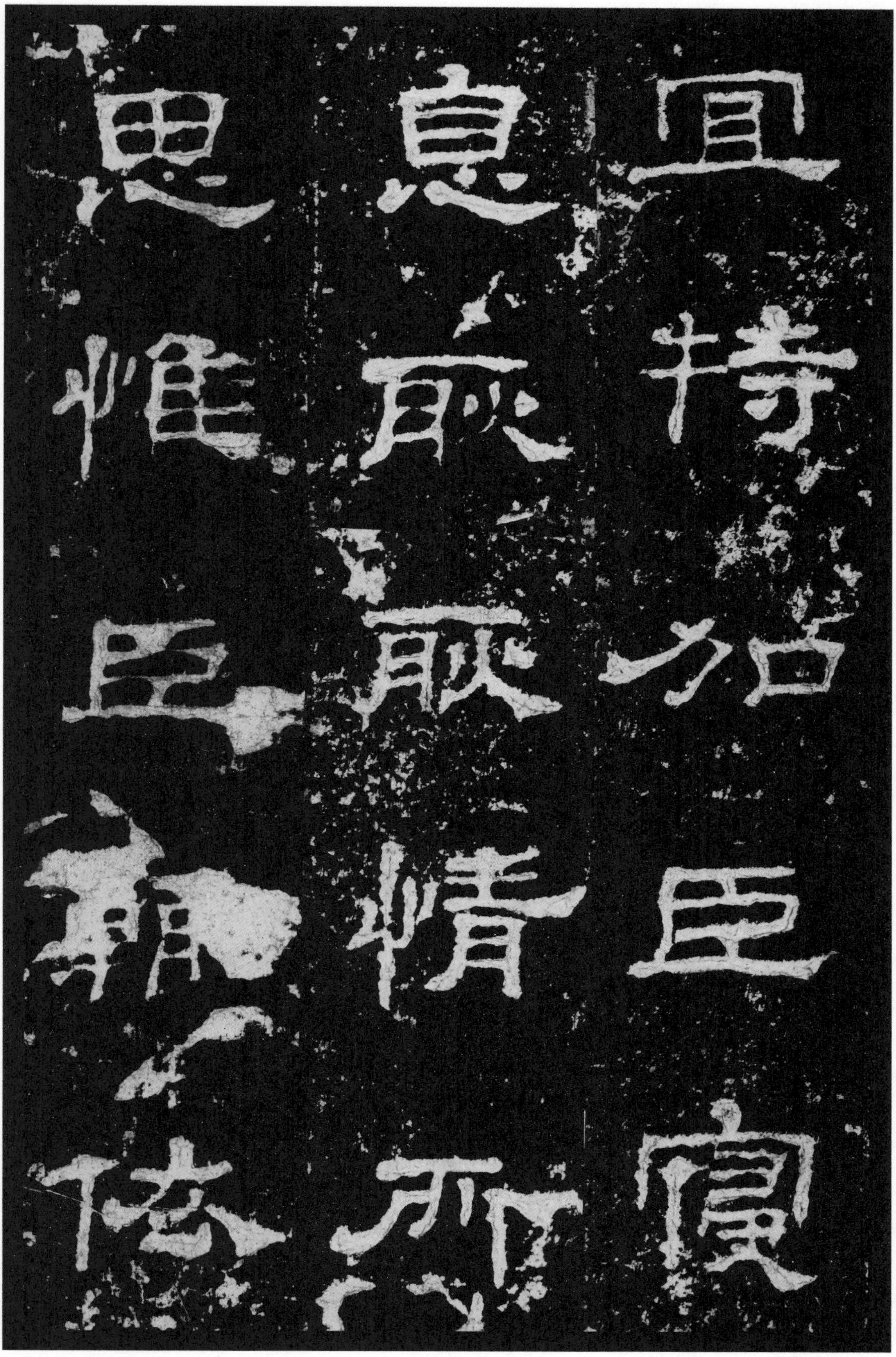

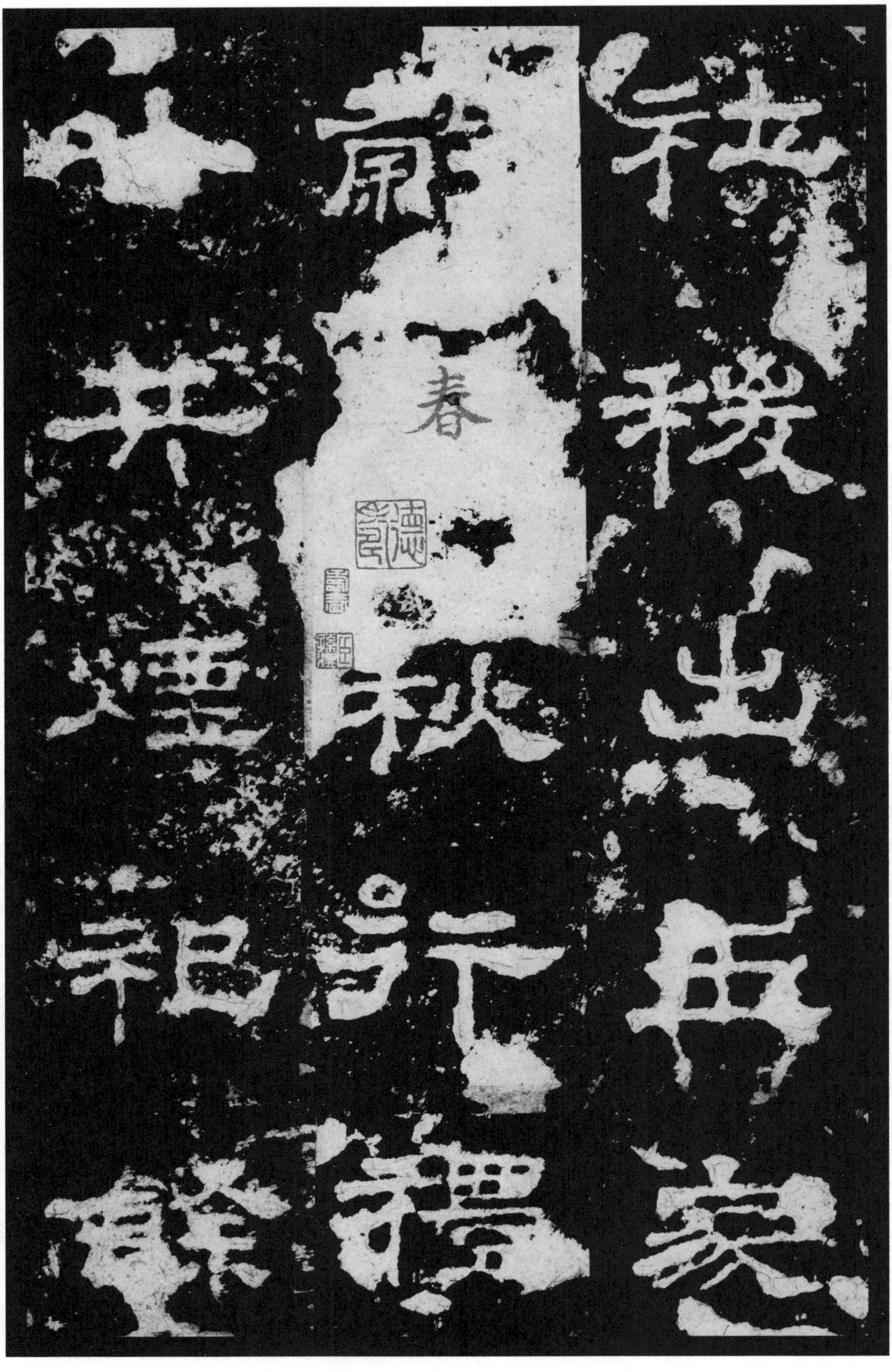
春秋行禮

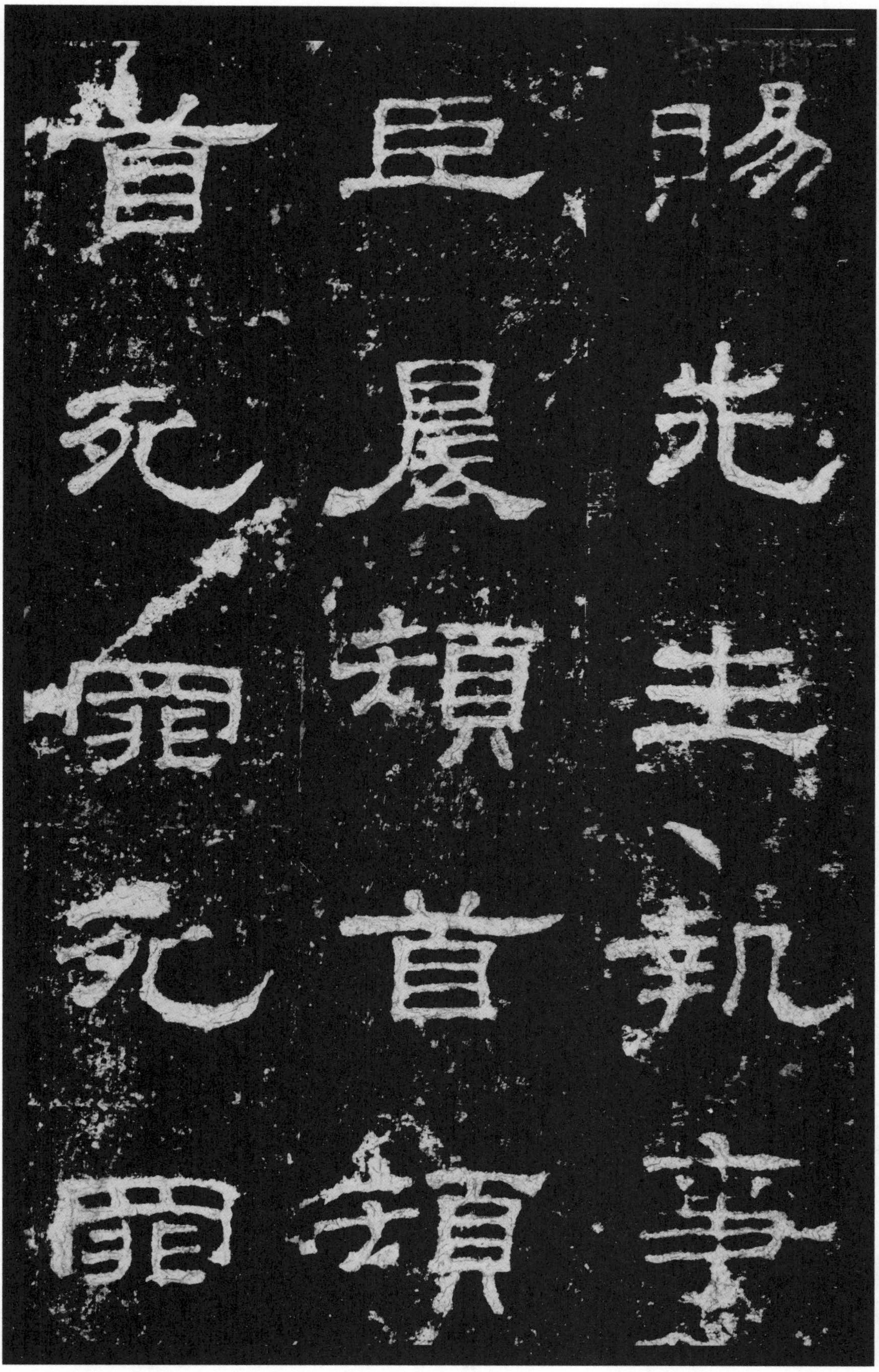
賜先生執事
臣晨頓首頓
首死罪死罪

臣盡力思惟
庶政報稱爲
效增異輒上

臣晨誠惶誠
頓首頓首死
罪死罪上

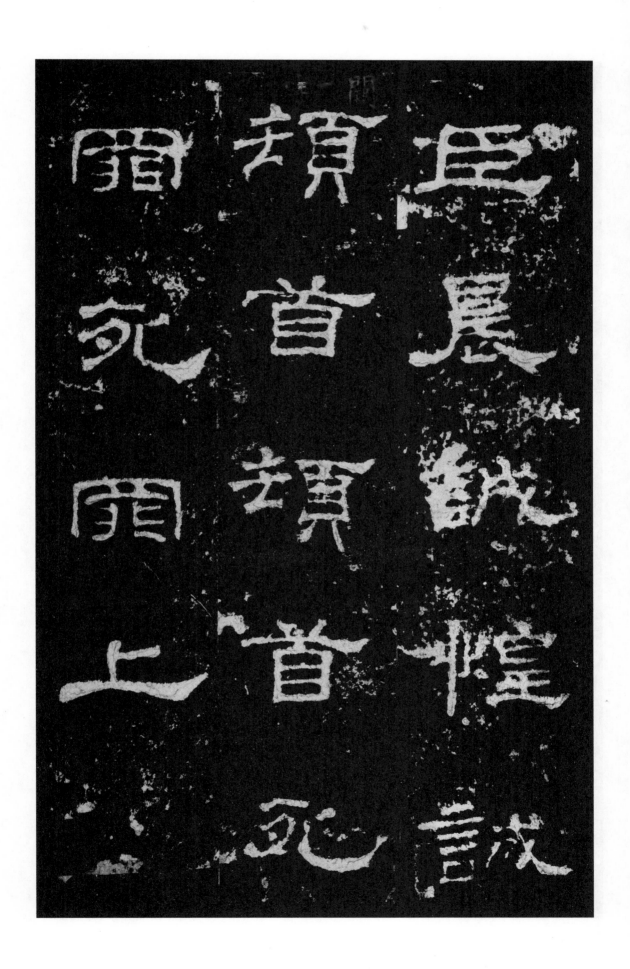

尚書侍
言大傅大尉
司徒司空

司農府治所
部從事
昔在仲尼汁

光之精大帝
所挺顏母毓
靈承敎遺憙

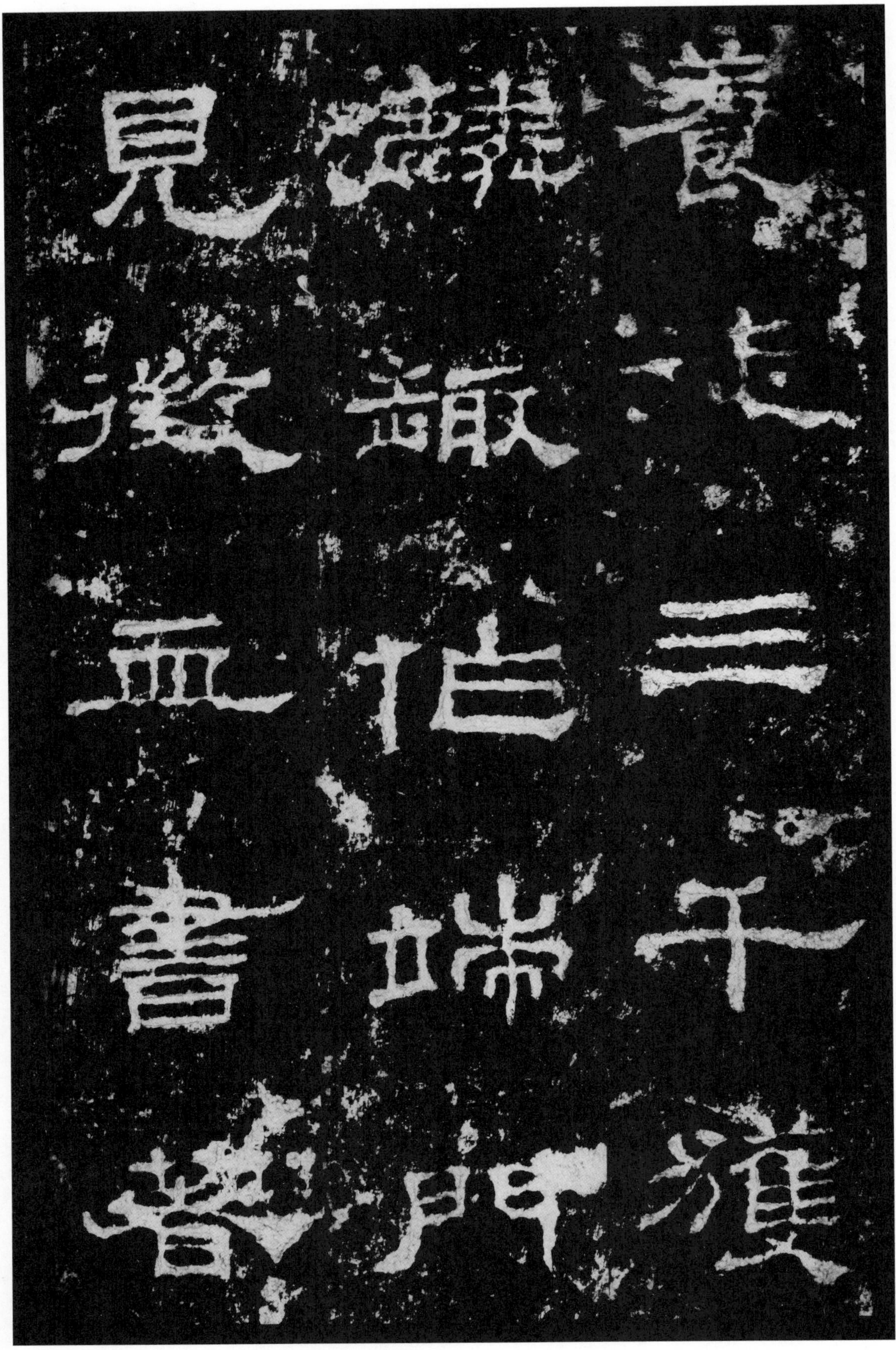

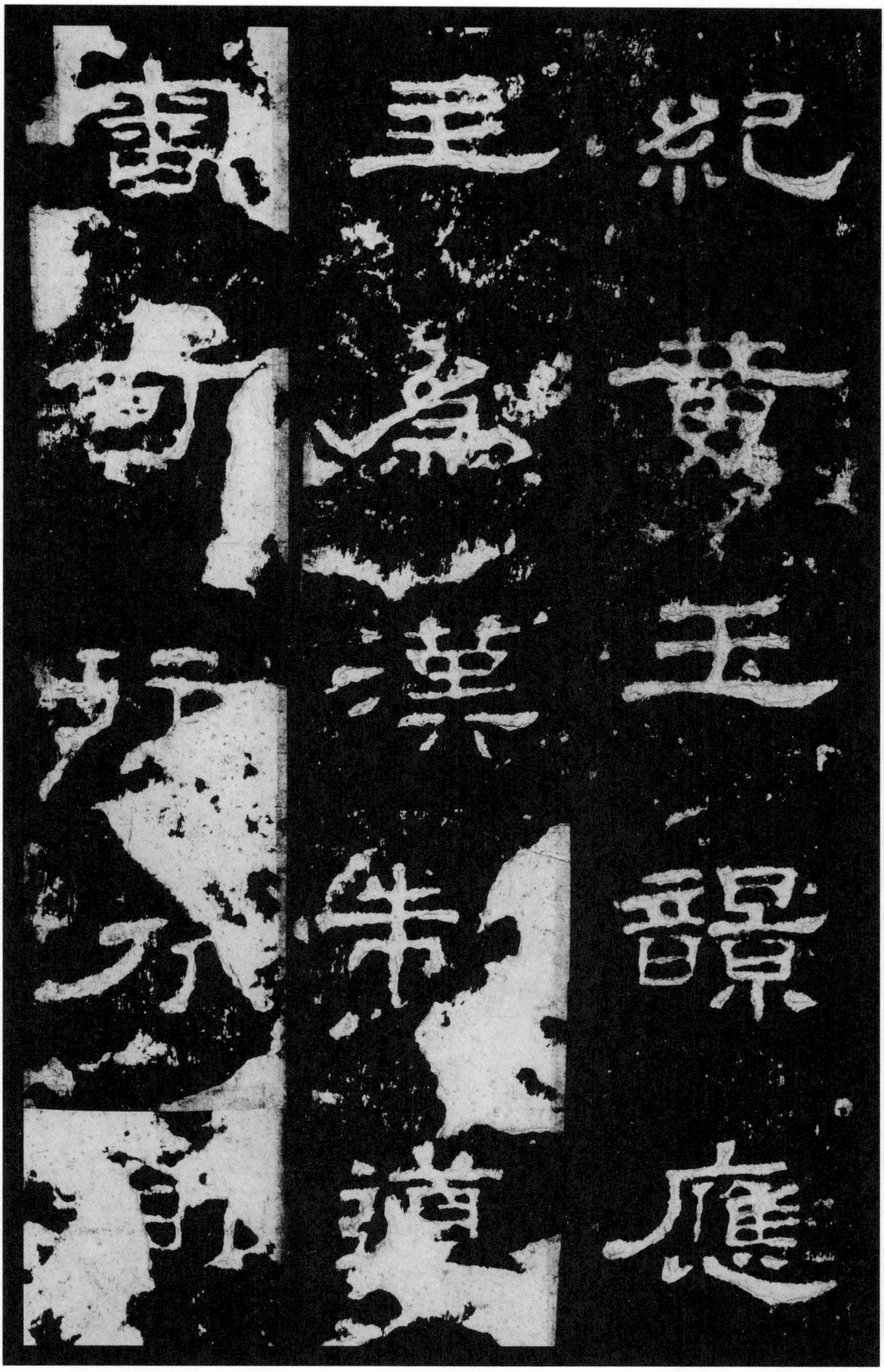
紀黃玉韻應
主為漢制道
審可行

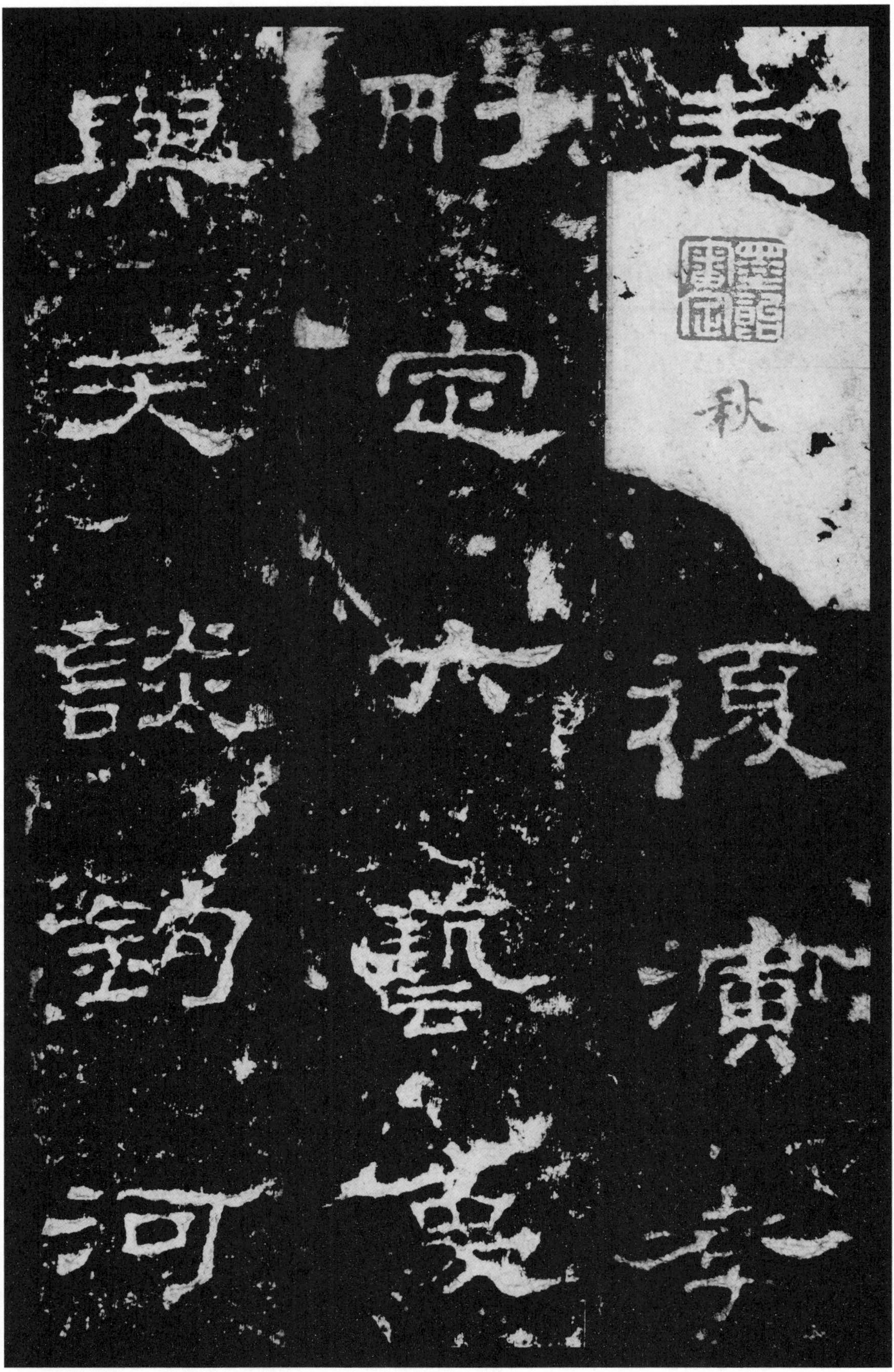
表復演孝
尉完六藝憂
與夫談鈎河
秋

擿雒卻揆未
然魏魏蕩蕩
與乾比崇

相河南史君
諱晨字伯時
從越騎校尉

拜建寧元年四月十一日戊子到官乃

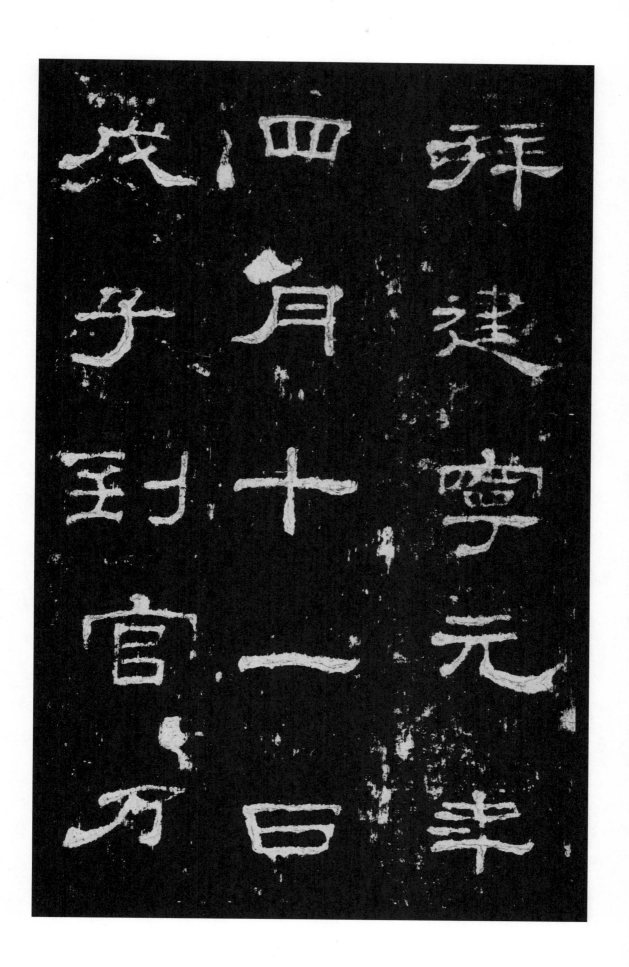

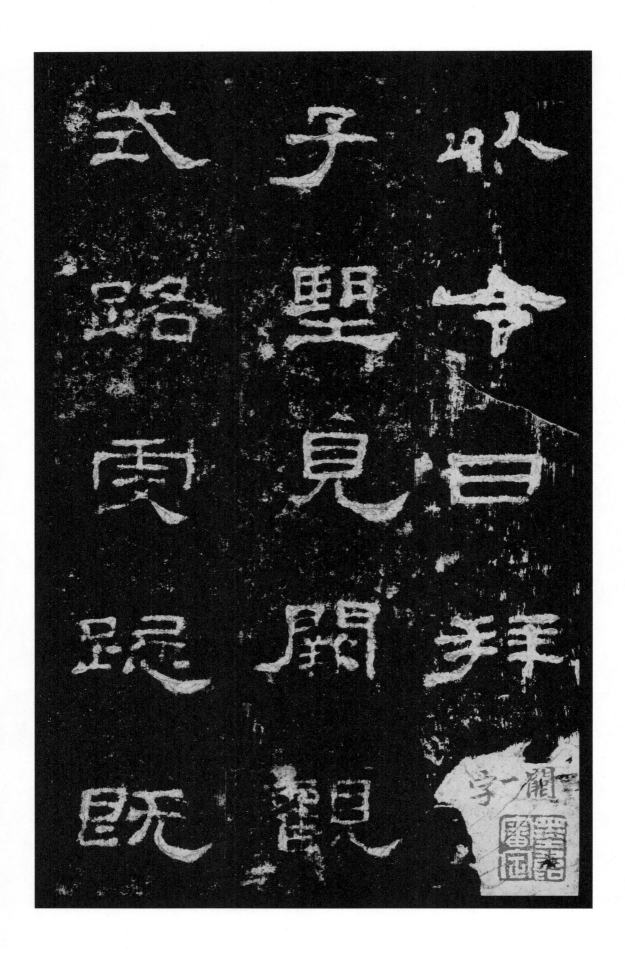

以令日拜

子望見闕觀

式路虔跽既

闕一字

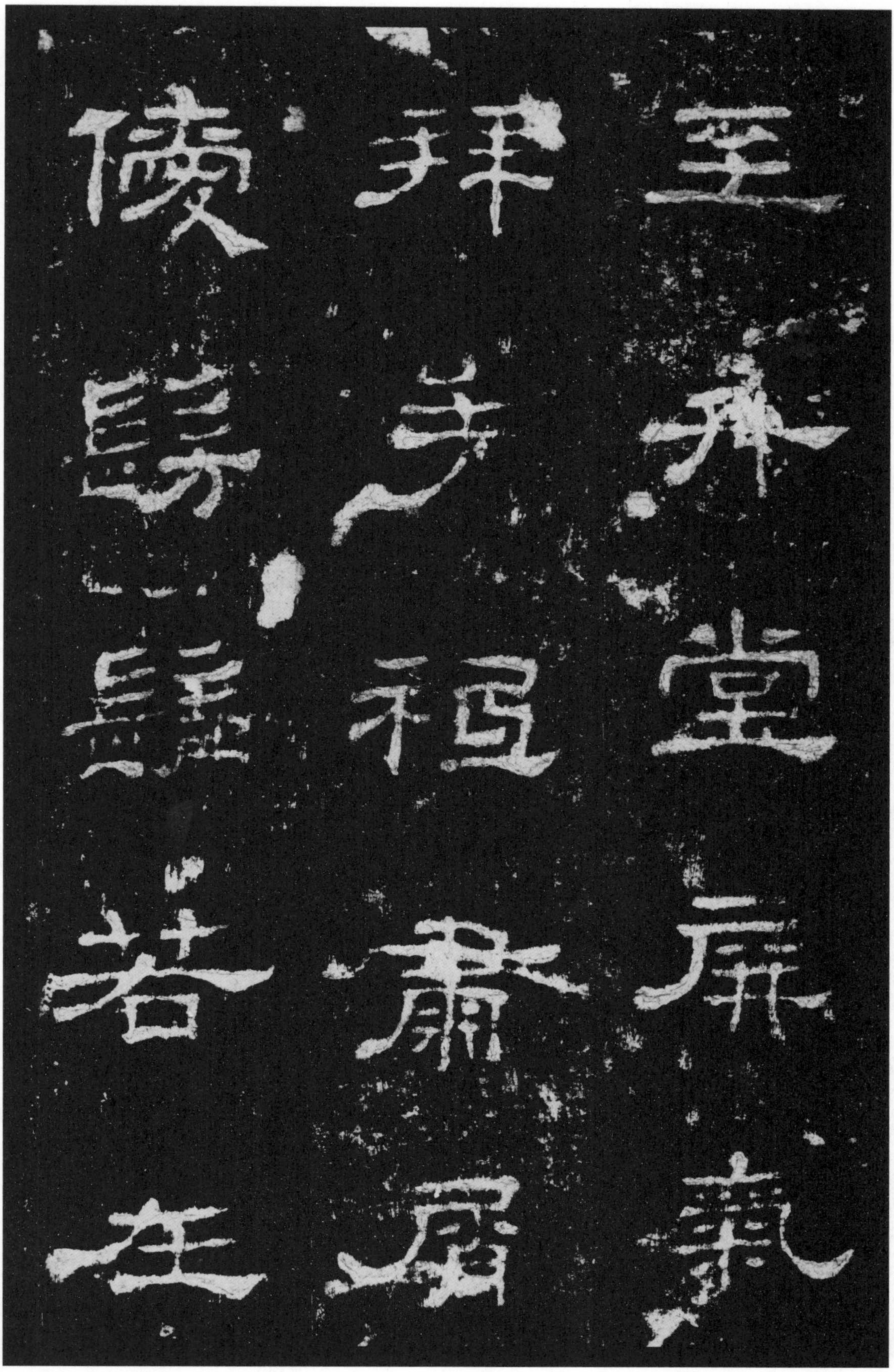
至孝堂屏氣
拜手稽肅屈
僾髣髴若在

依依舊宅神
之所安春秋
禮稽度玄靈

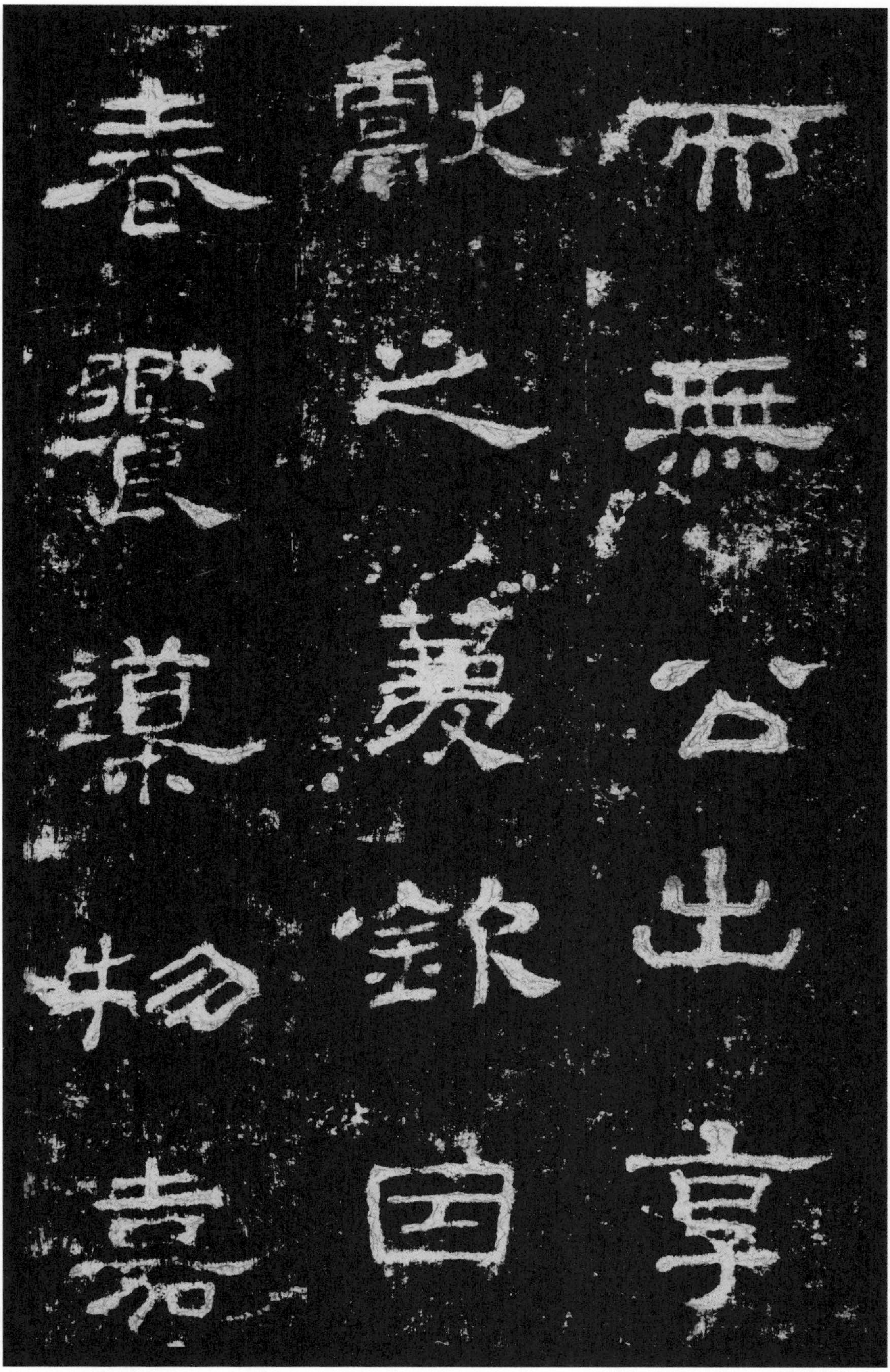
而無公出享
獻之薦欽因
春饗導物嘉

曾述脩[illegible]後
社稷品制即
上尚書叅以
符

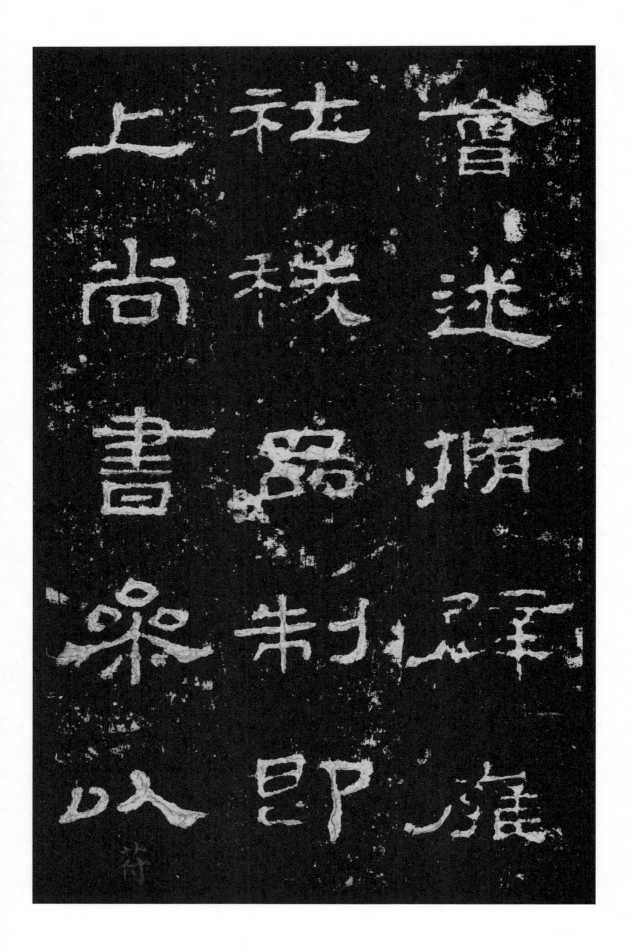

石 宜 余 駿

勒 能 乃

銘 賤 敦

并 賜 承

列 村 祀

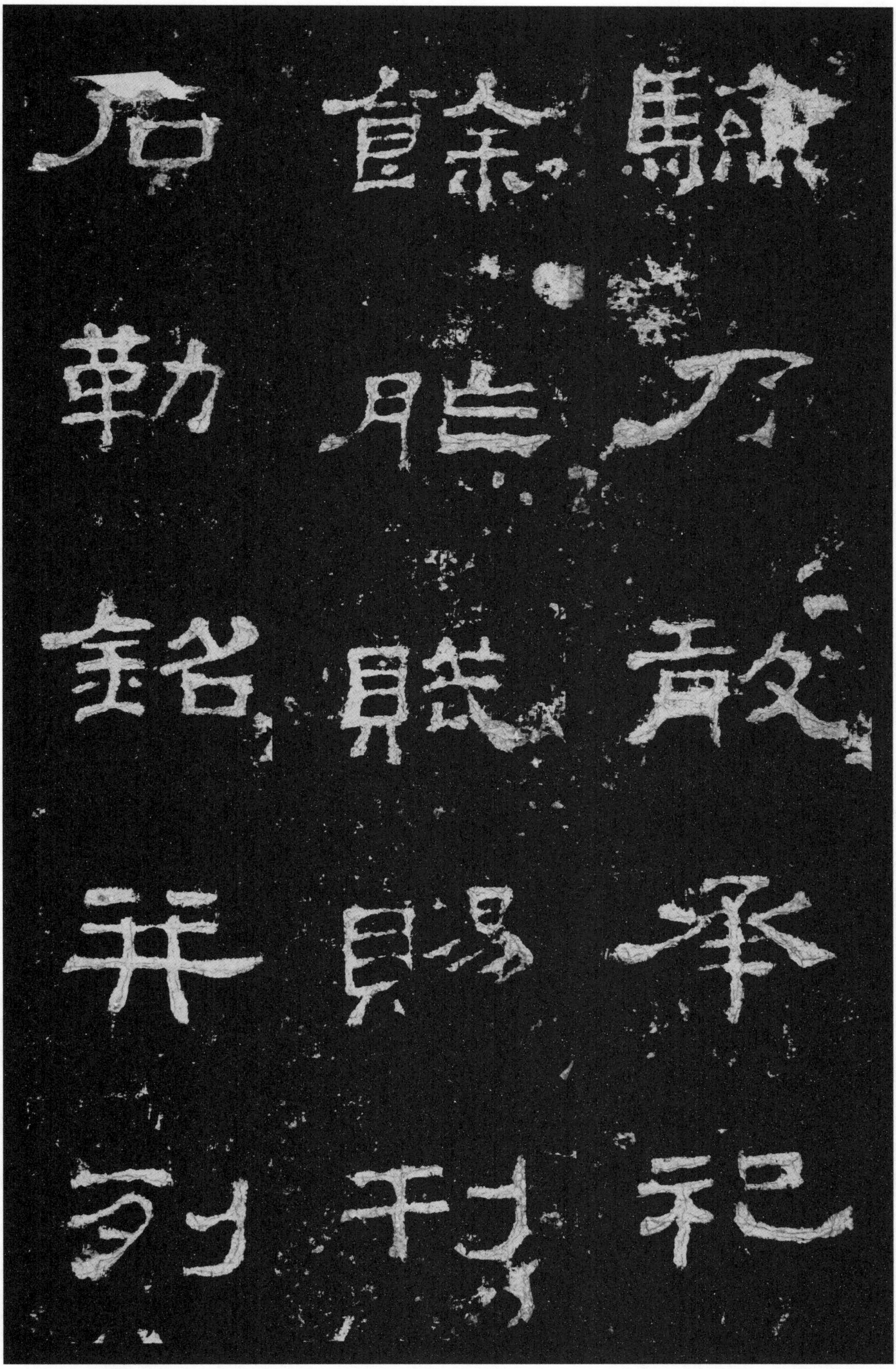

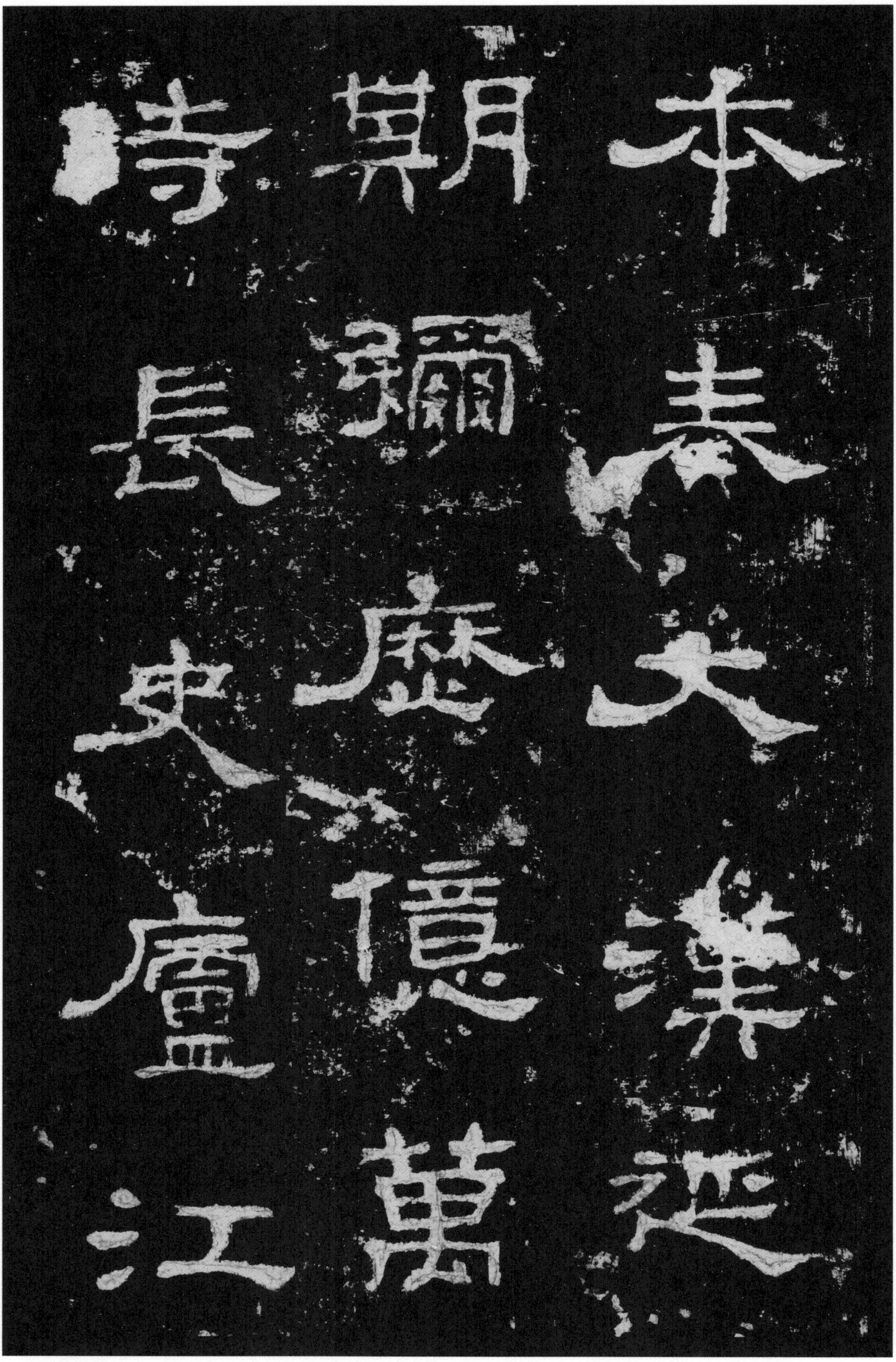
本秦大漢延
期彌歷億萬
時長史廬江

舒李謙敬讓五官掾魯孔暢功曹史孔

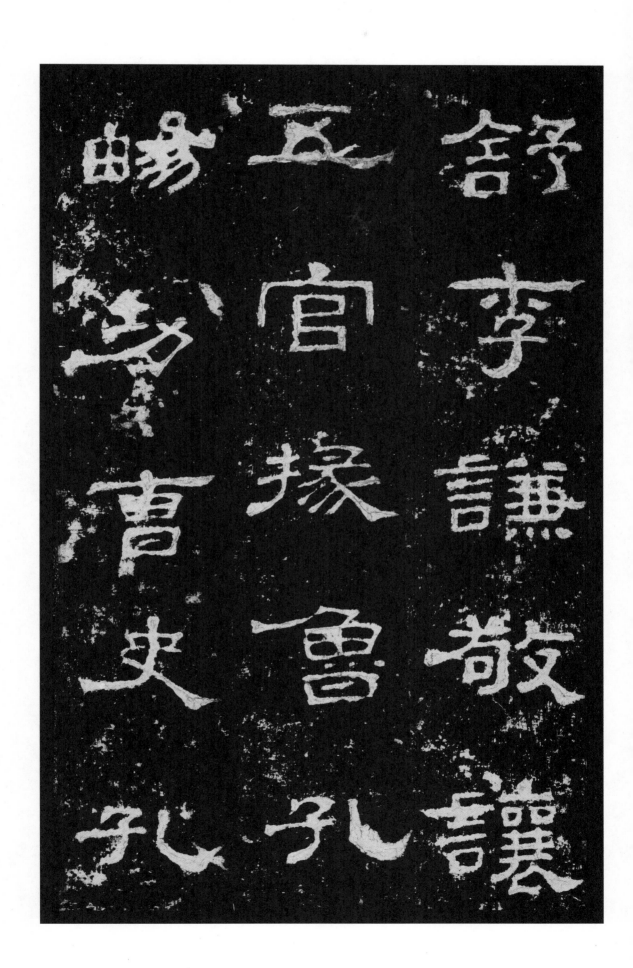

淮方曹掾薛
東門榮叟夫
陽馬琮守廟

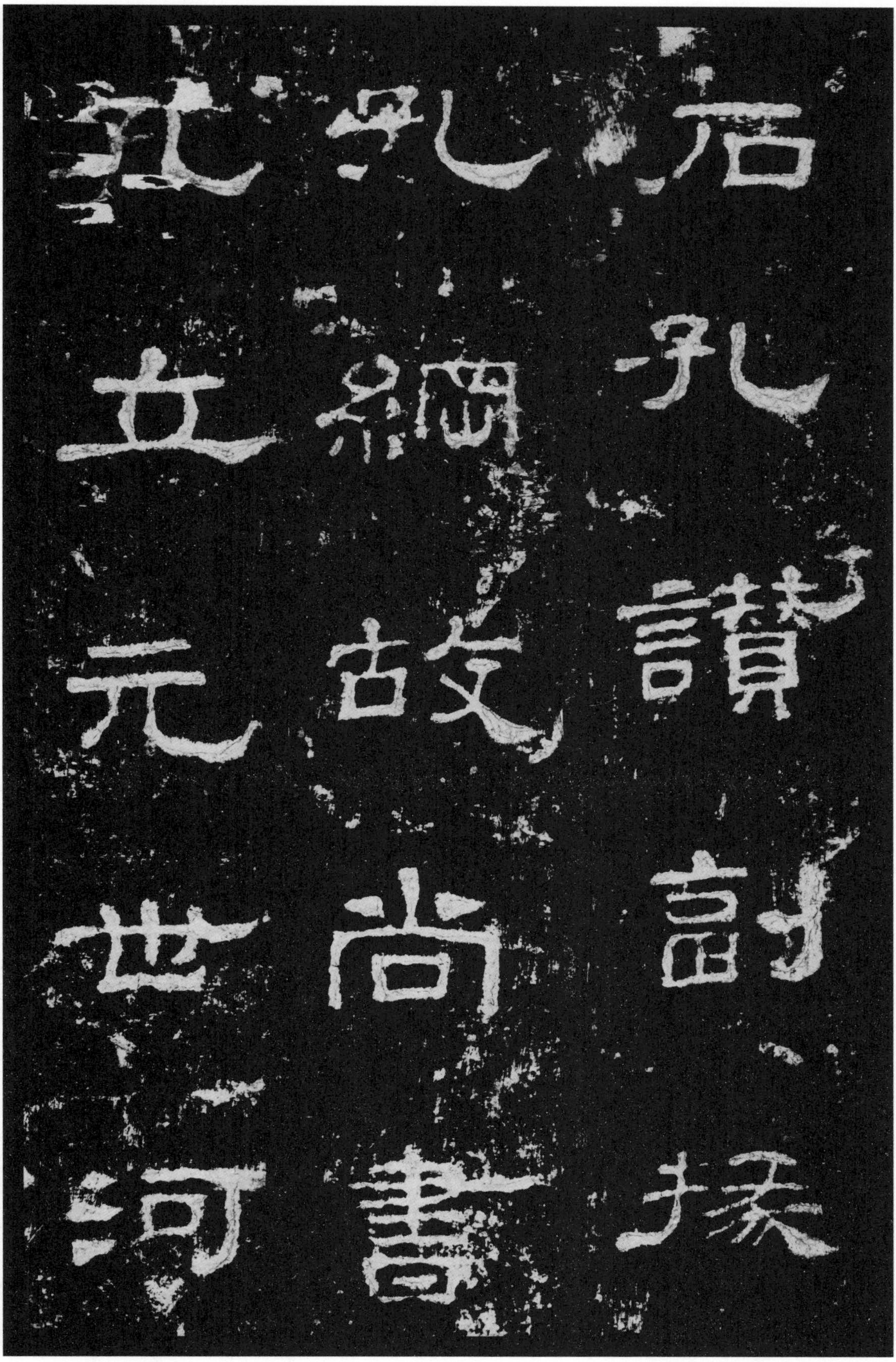
石孔讃副掾
孔綱故尚書
孔立元世河

東大守孔彪
元上處士孔
處文禮皆會

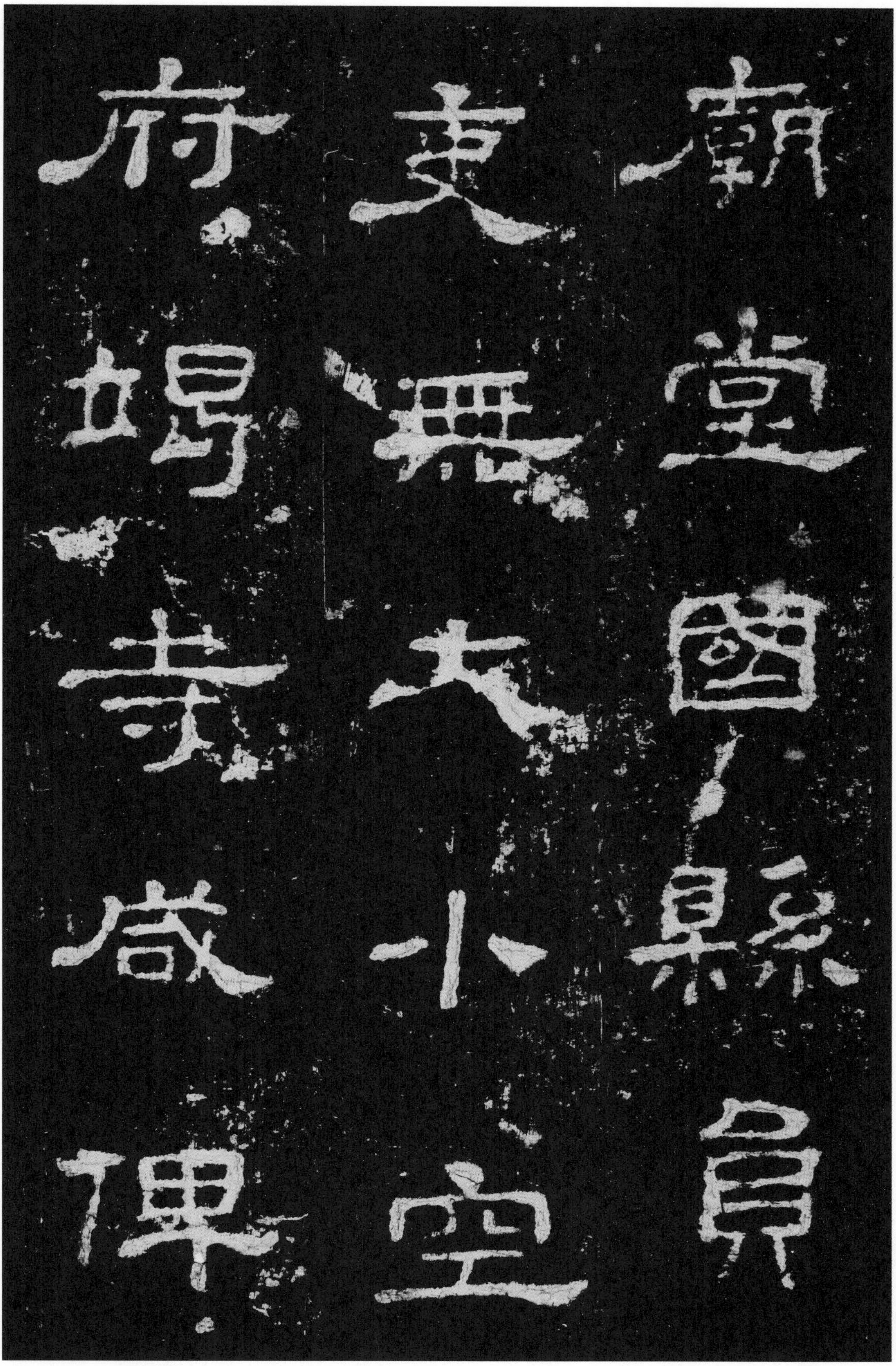
廟堂國縣員
吏無大小空
府竭寺咸俾

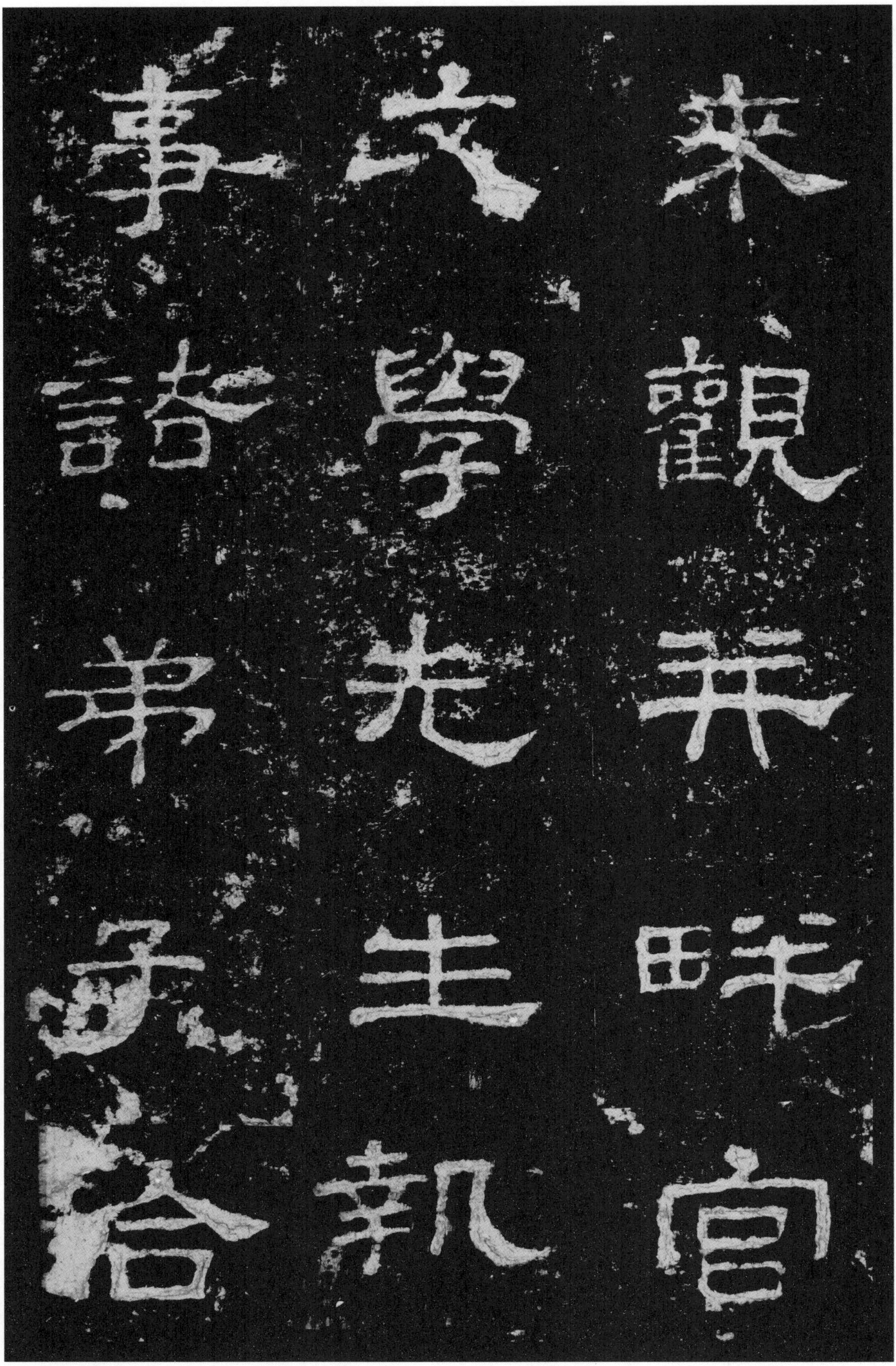
來觀并畔宮
文學先生執
事諸弟子合

九百七人雖
歌吟笙竽之
律八音克諧

蕩邪反正奉
爵稱壽相樂
終日於穆肅

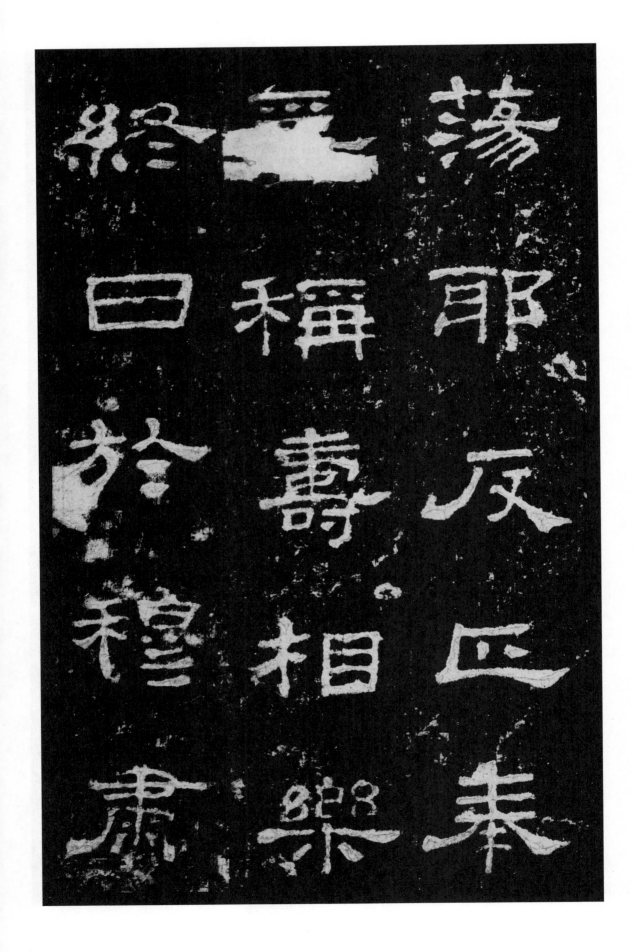

廱上下蒙福
長享利貞與
天無極
史

君遣浚部吏
仇誧縣吏劉
肬等補完里

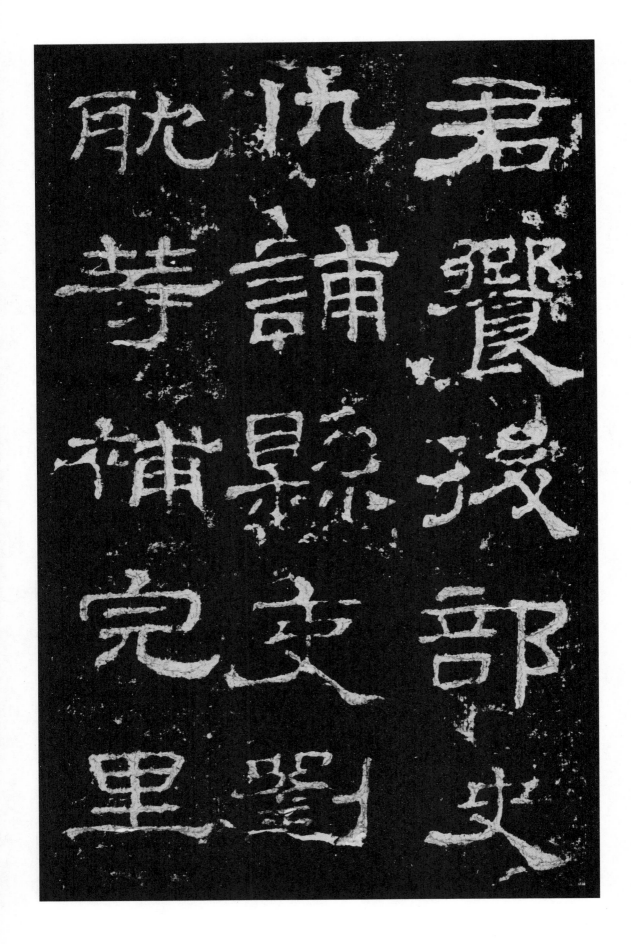

中道之周左
廧垣壞決作
屋涂色脩通

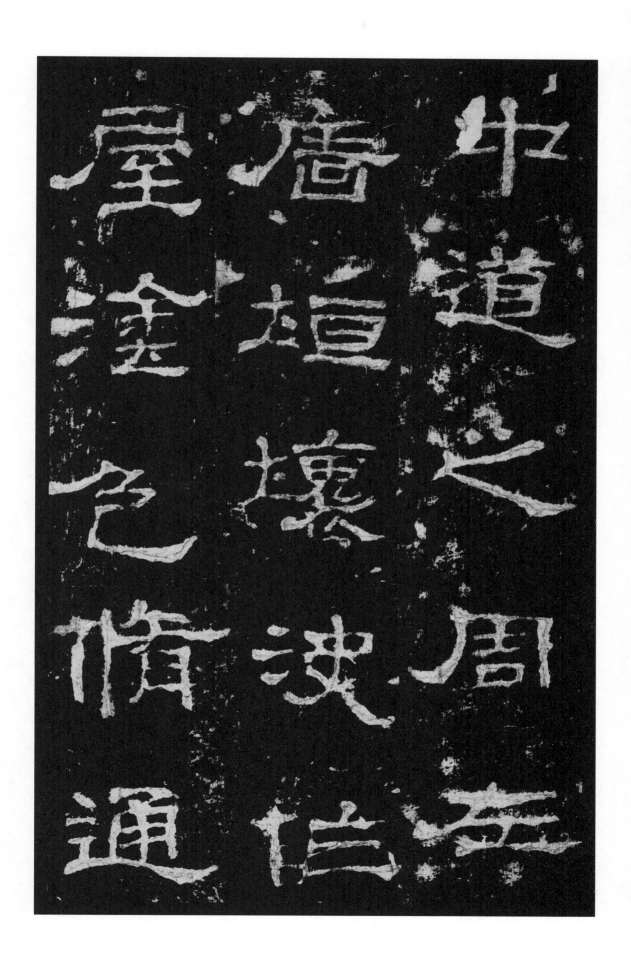

大溝西流里
外南注城池
恐縣吏斂民

侵擾百姓自

以城池道濡

麥給令還所

叙民錢給

史君念孔瀆

顏母井去市

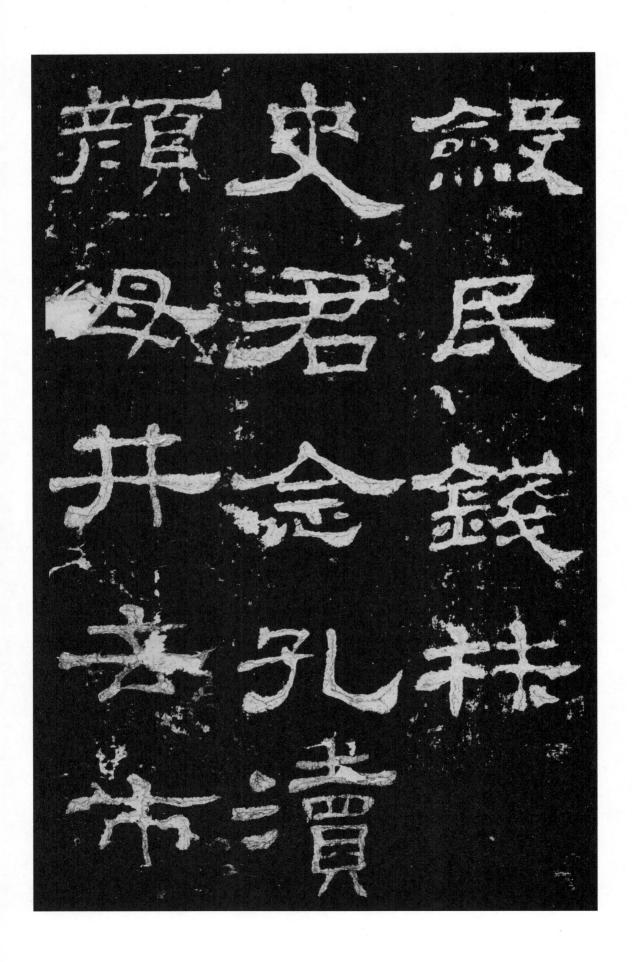

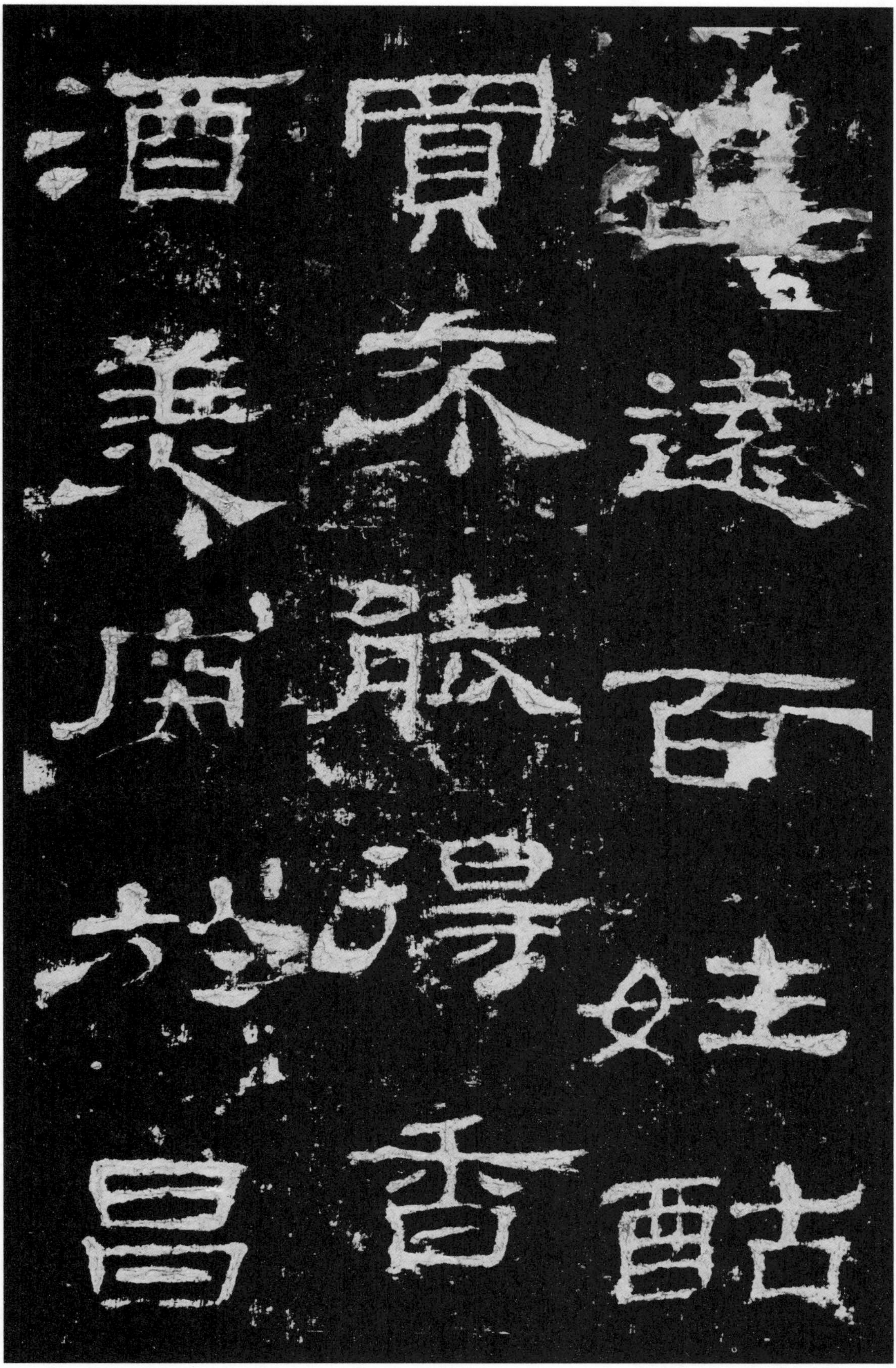
遠百姓酤
買不能得香
酒美肉於昌

平亭下立會
市因彼左右
咸所願樂

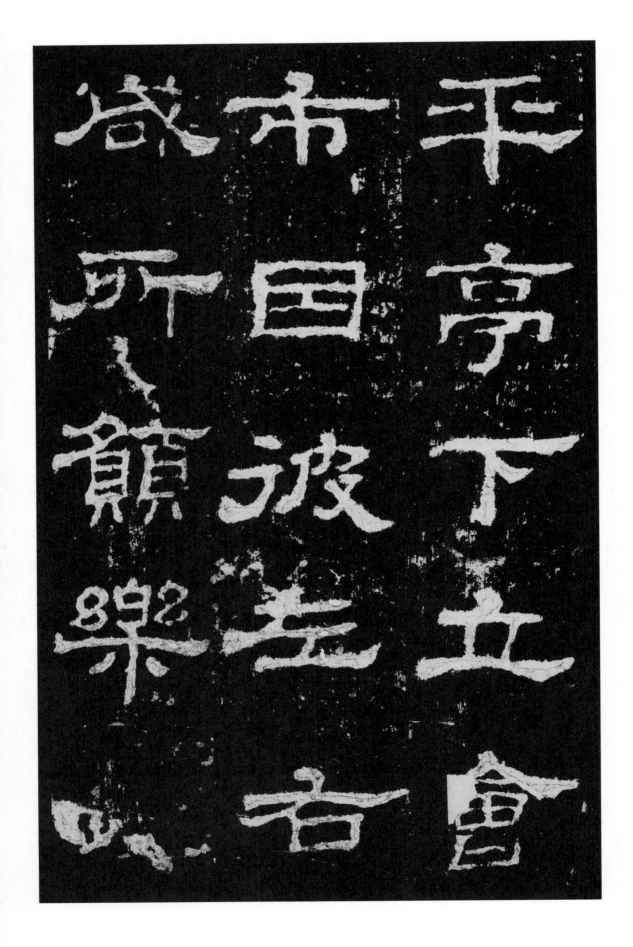

文執瀆井復
民飭治桐車
馬於瀆上東

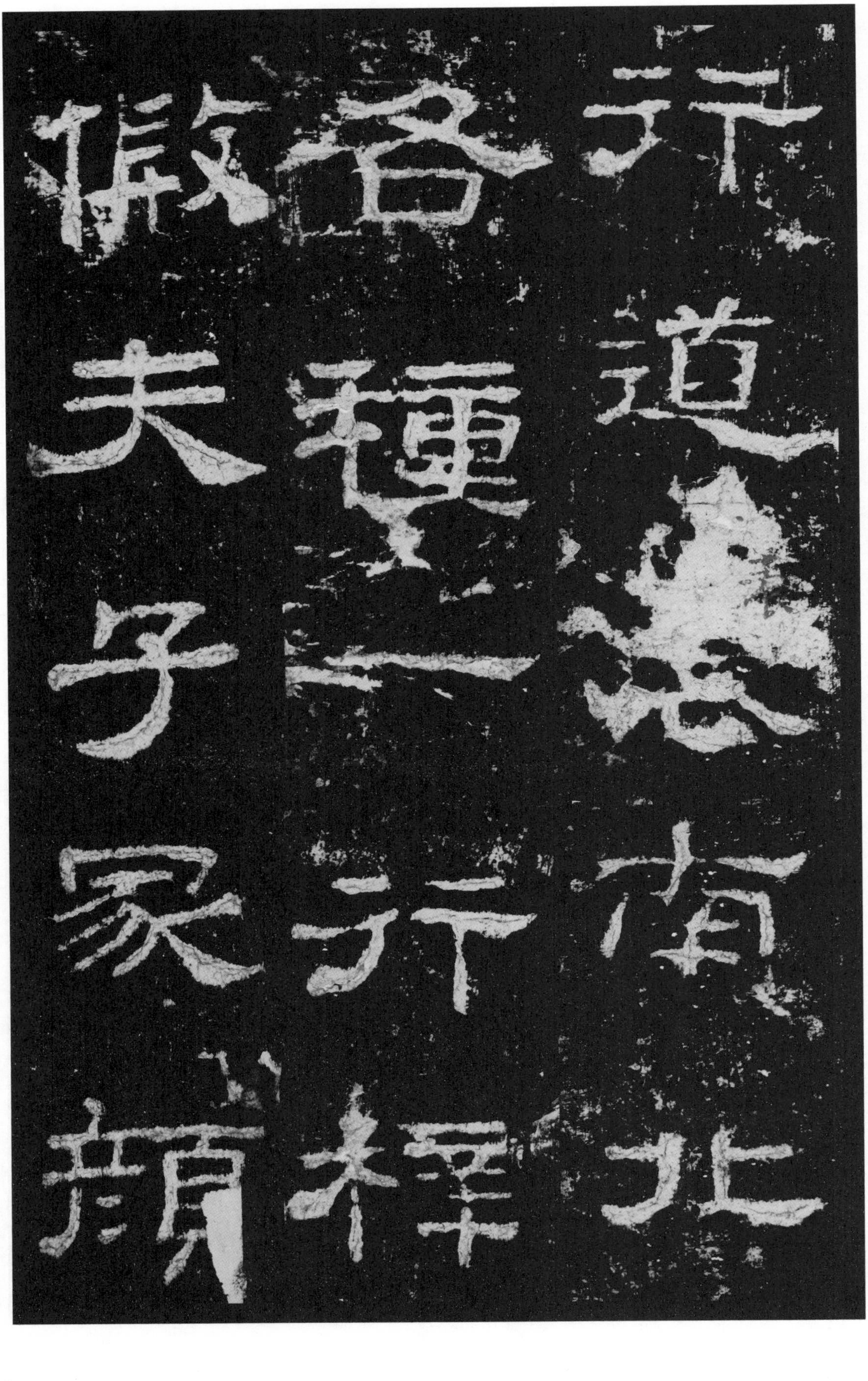
行道
有北
各種一行梓
假夫子家顏

毋开合夜會
公家守吏凡
四人月與佐

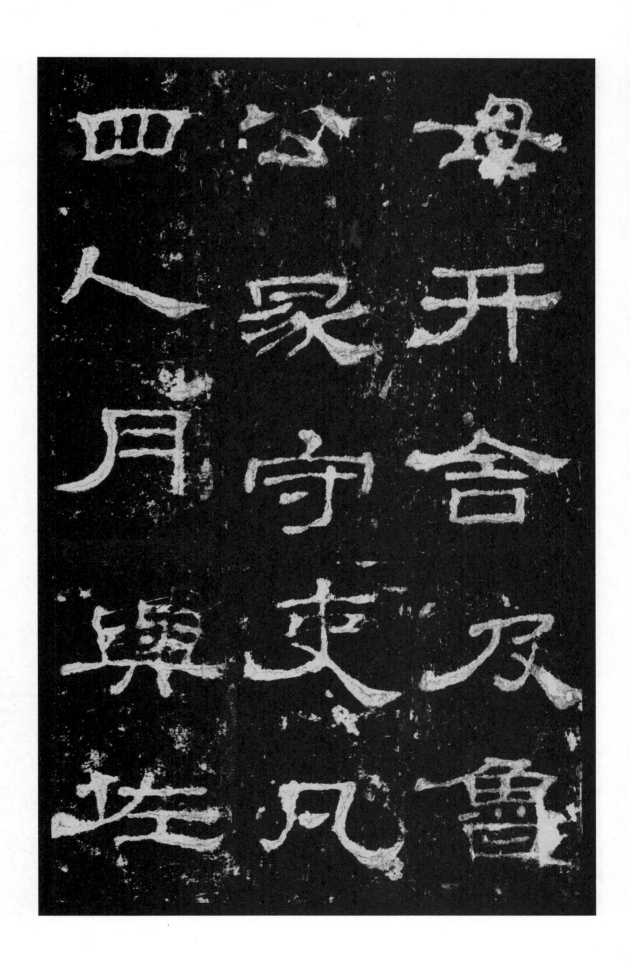

除[illegible]
大同而稅三年三日
廿三日金臺觀主馬元
次孫子楊景風郭葊書

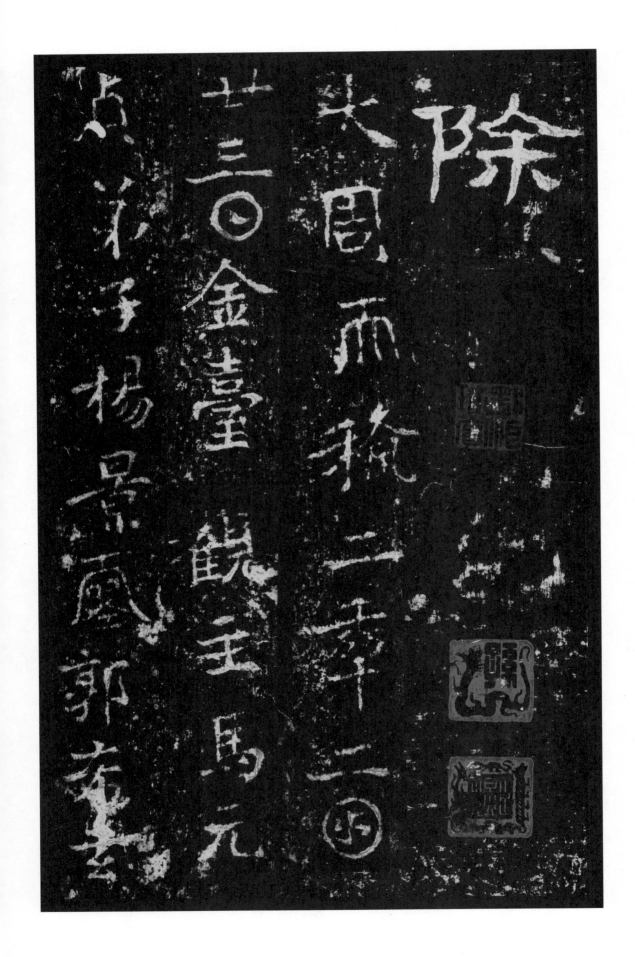

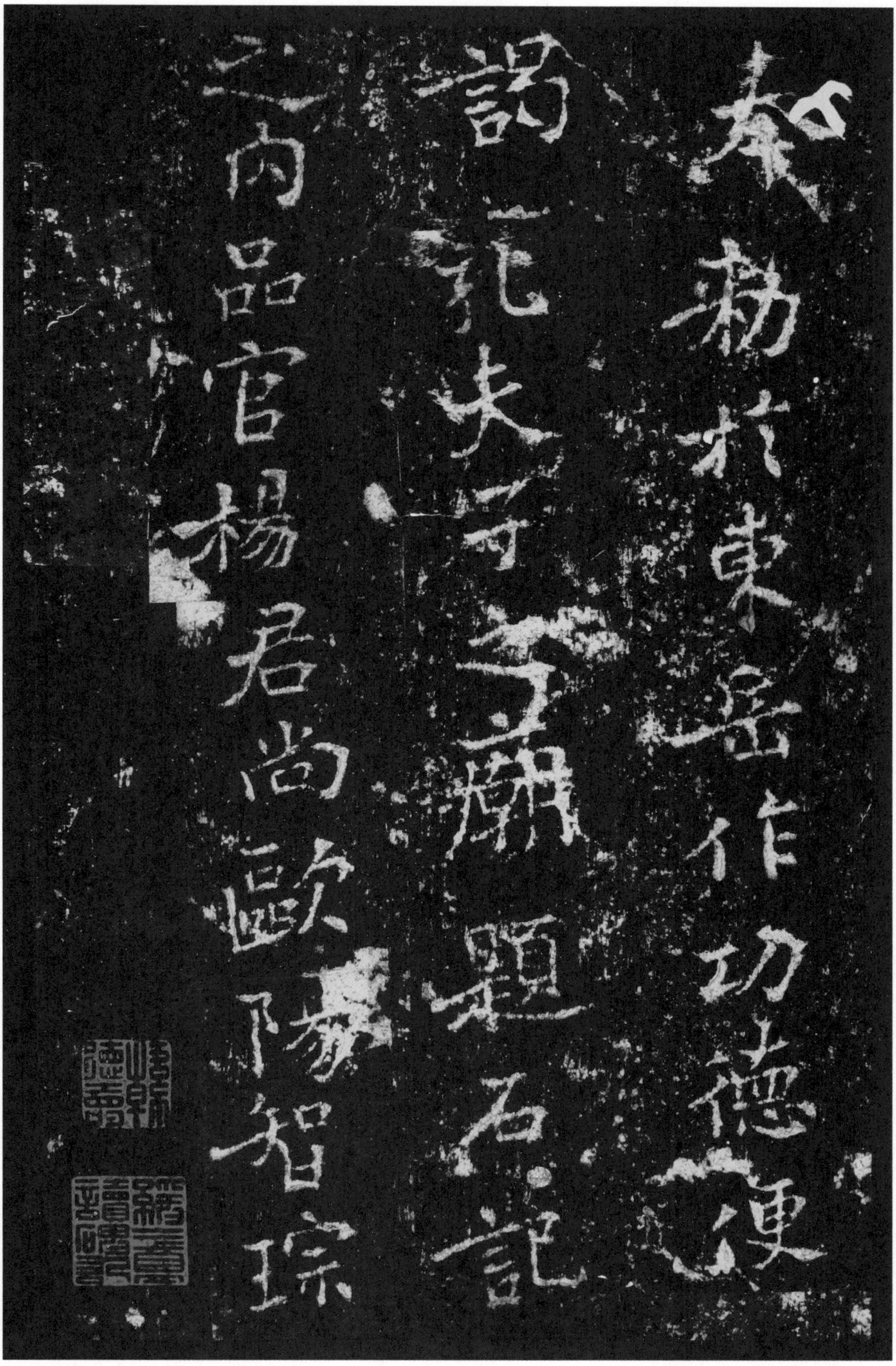
奉勅於東岳作功德便
謁孔夫子廟題石記
之内品官楊君尚歐陽智琮

汉张景碑

张景碑

隶书。东汉延熹二年（一五九）立。一九五八年于河南南阳市出土，出土时四周即已残损。

此碑书法用笔秀丽，体势开张，结构谨严，是汉隶中代表作之一。

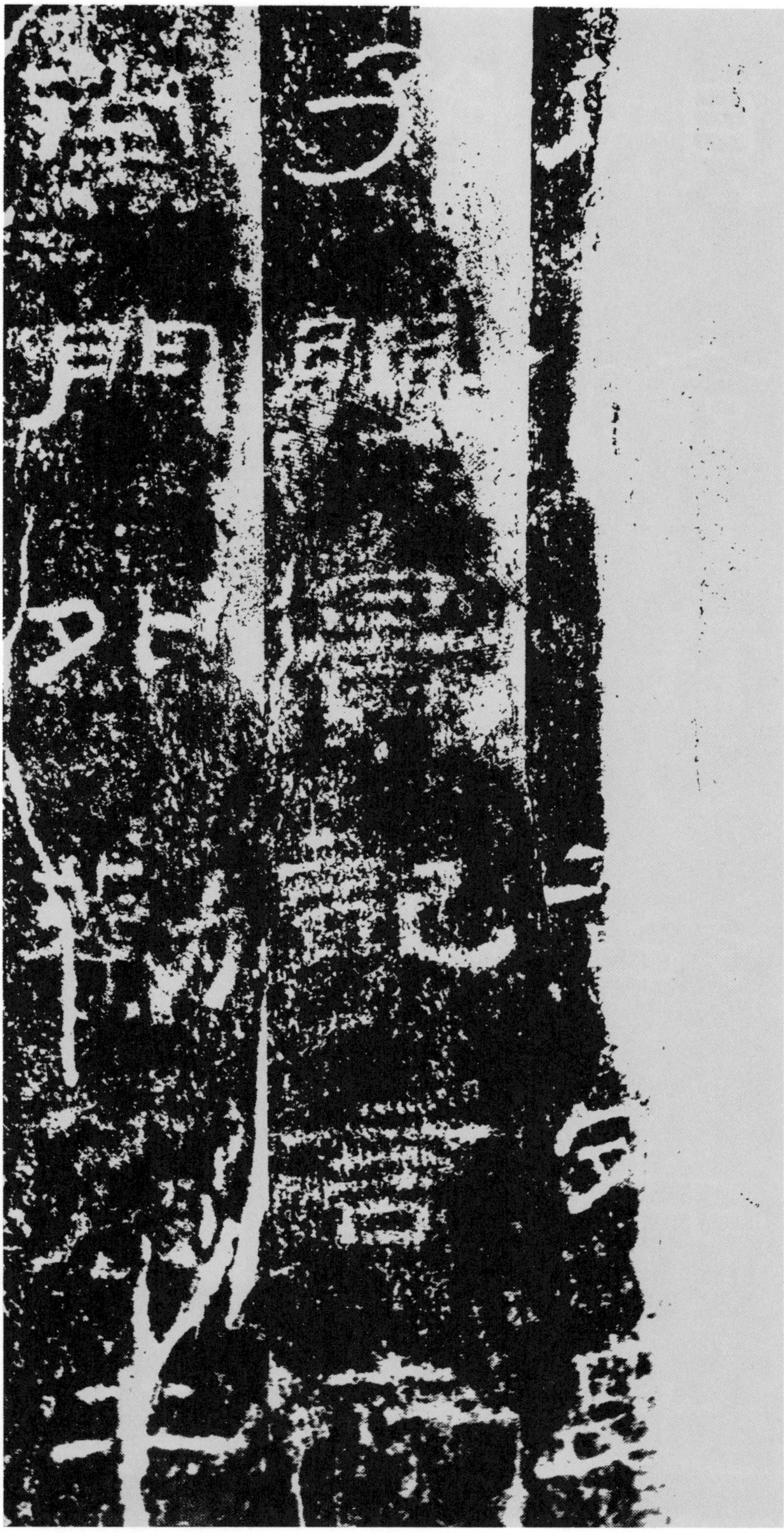

人黎烝廿廧屋
功費六七十萬
垂勞人功吏正

惠若願以家錢義作土牛上瓦屋欄楯什物歲

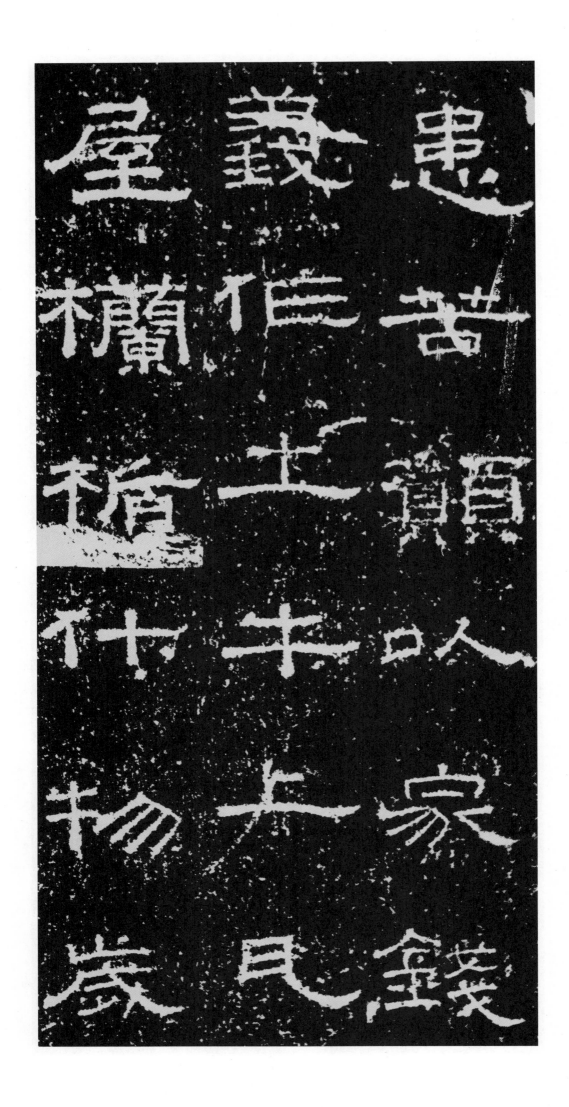

歲信治志不為

縣吏尉長從長

徹發小縣寶如

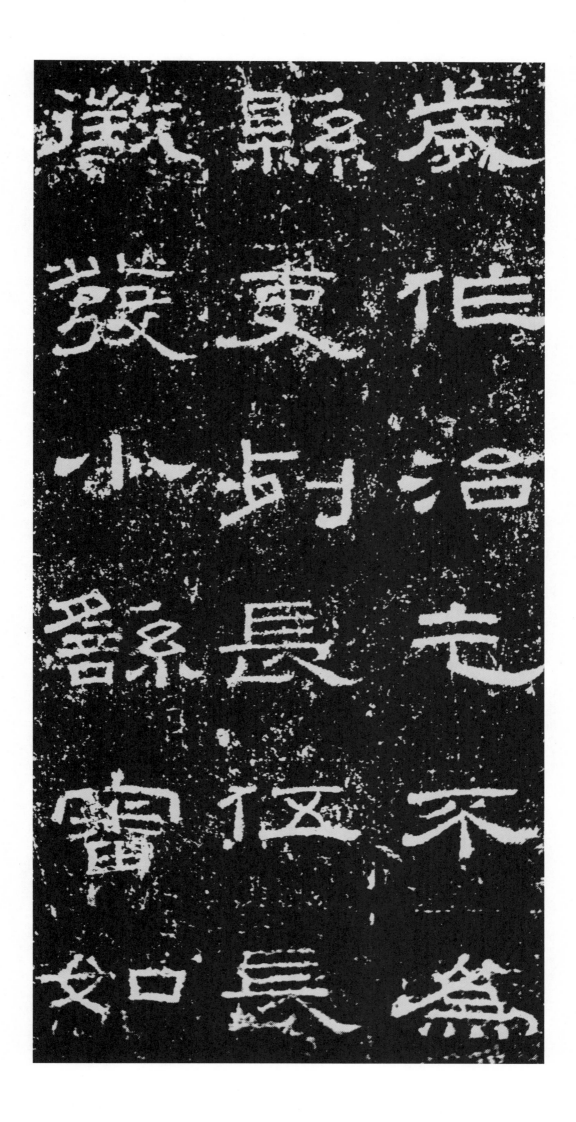

景三德行復除
傳後子孫明檢
區所伯[illegible]命巖

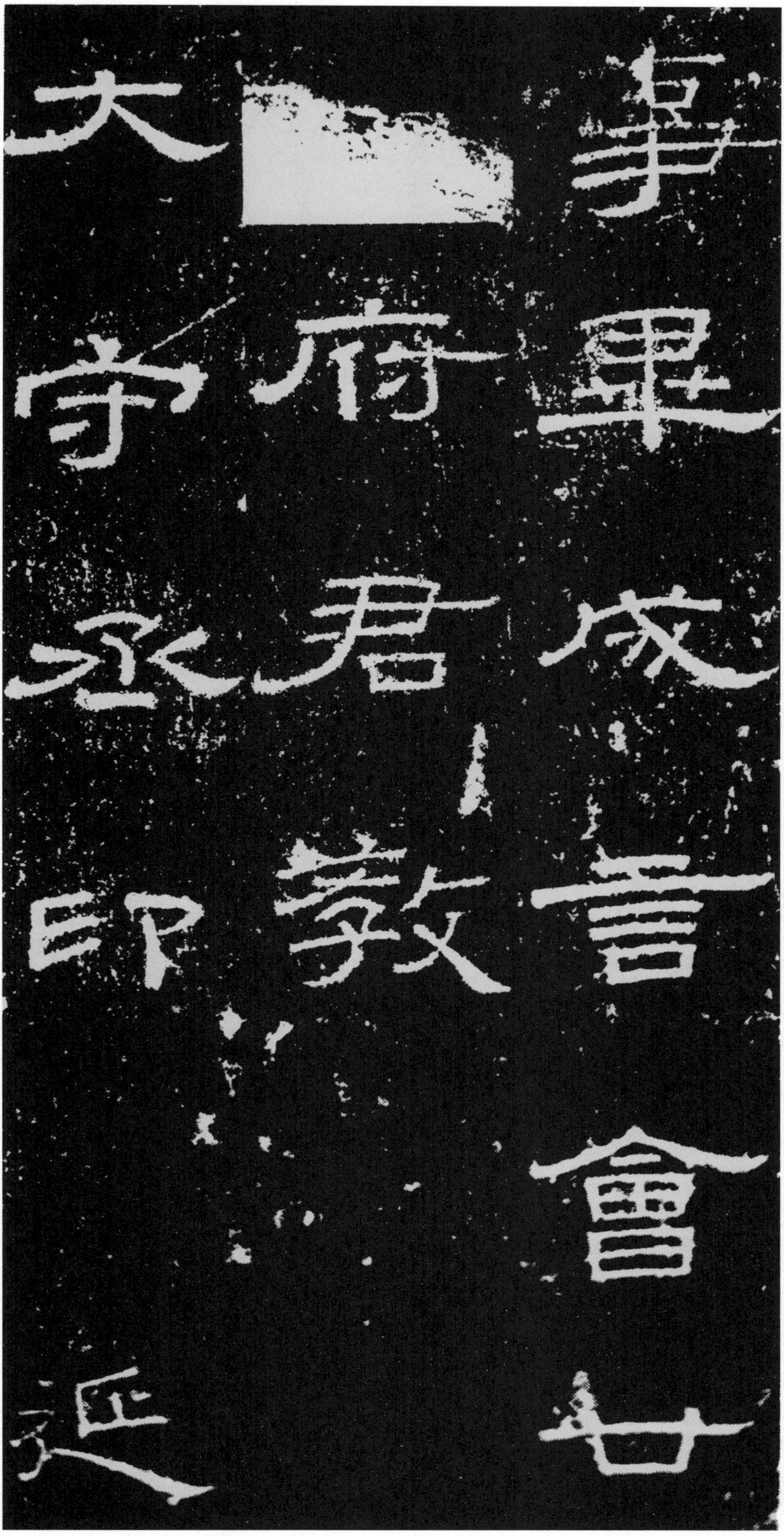
事畢成言會廿
府君教
大守丞印
延

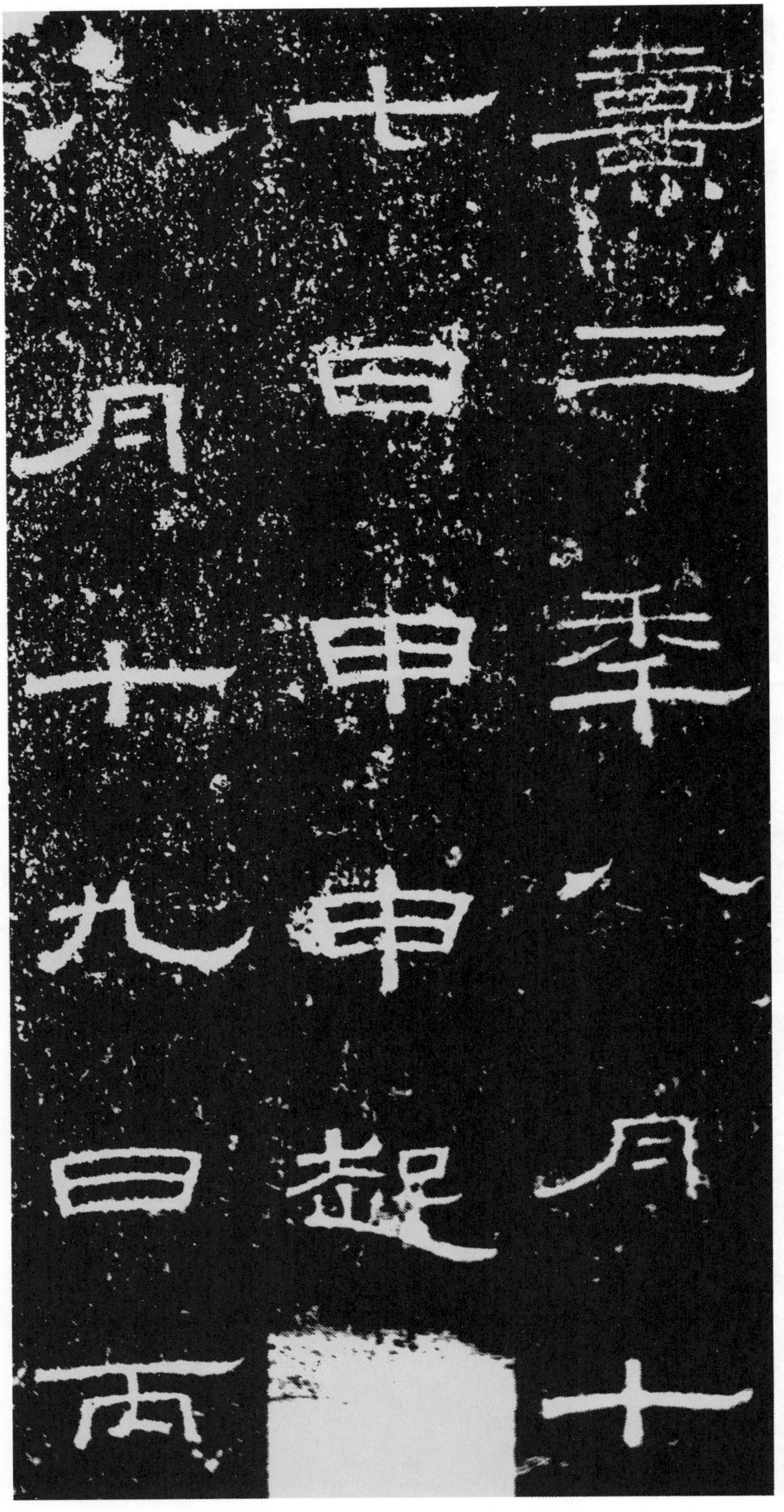
熹二年月十
七日甲申起
月十九日丙

咸告造
宛追梁
令鼓寫
咨賊秺
丞曹□
慴撰遠

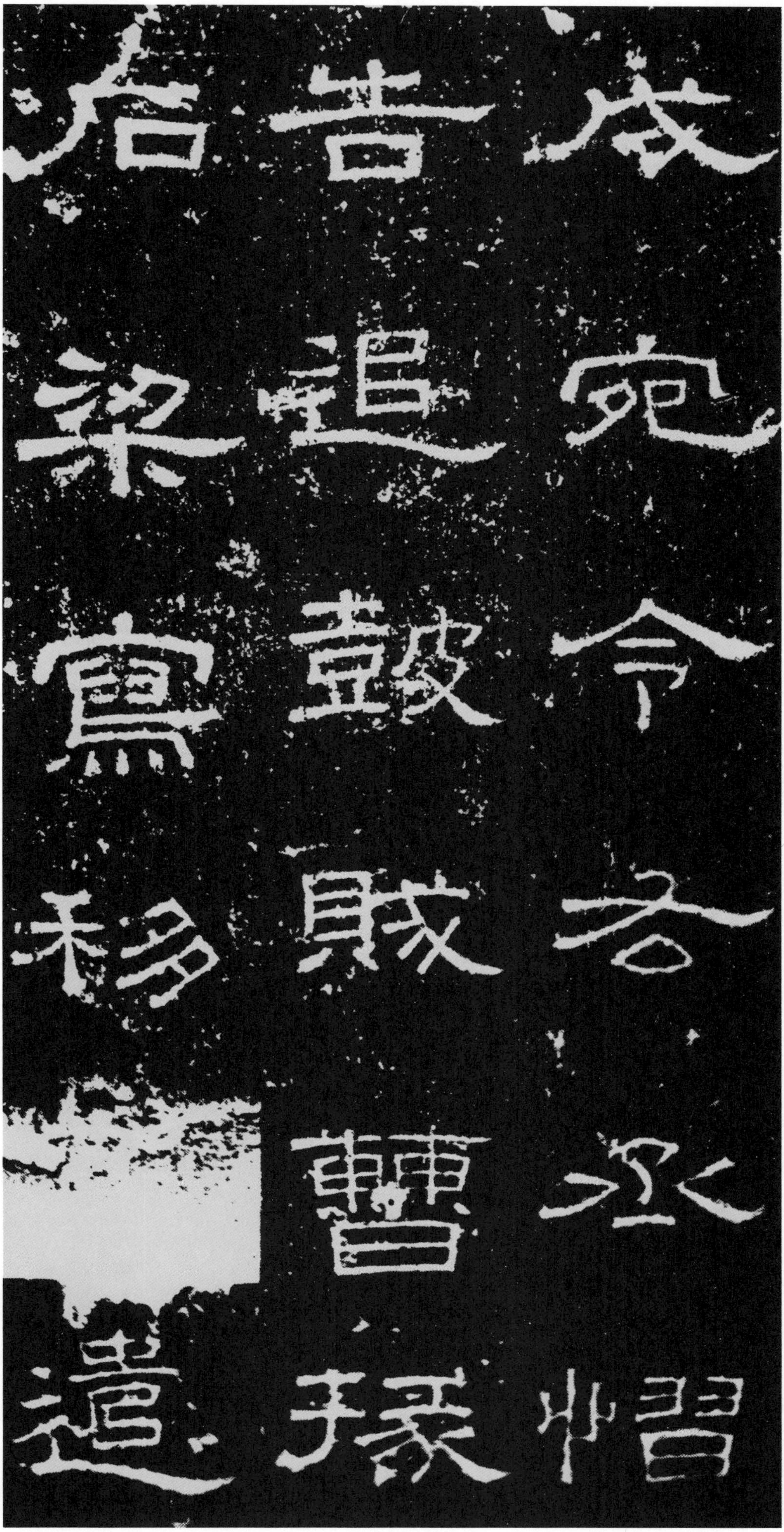

景作治五焉民
屋二間個欄楯
拾尺於區務令

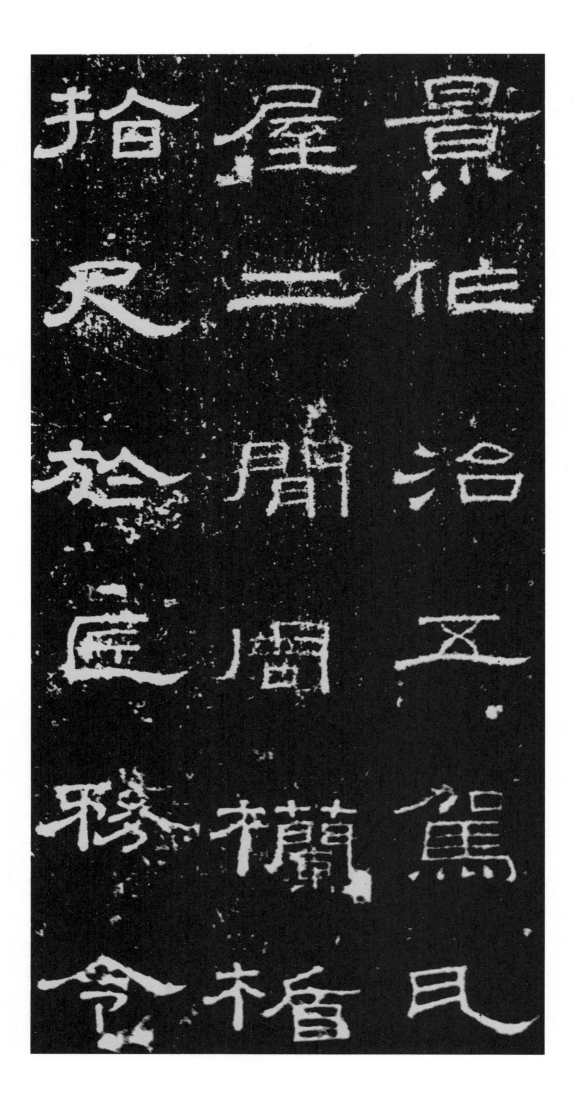

言會月廿五日
他如府記律令

掾趙述
府告宛言
男子張景以家

汉曹全碑

曹全碑

隶书。全名《汉阳令曹全碑》，东汉中平二年（一八四）立，未署书人姓名。明万历初出土于陕西阳（今合阳县）莘里村。今藏西安碑林。

此碑书法用笔圆润，秀丽而有骨力，临写时要注意，不要只偏于秀丽而忽视其挺劲这一面；点画宜腴润，避免枯瘠，这样才能得其神采。

君諱全字景完
敦煌效穀人也
其先蓋周之胄

武王秉乾之機
翦伐殷商既定
爾勳福祿攸同

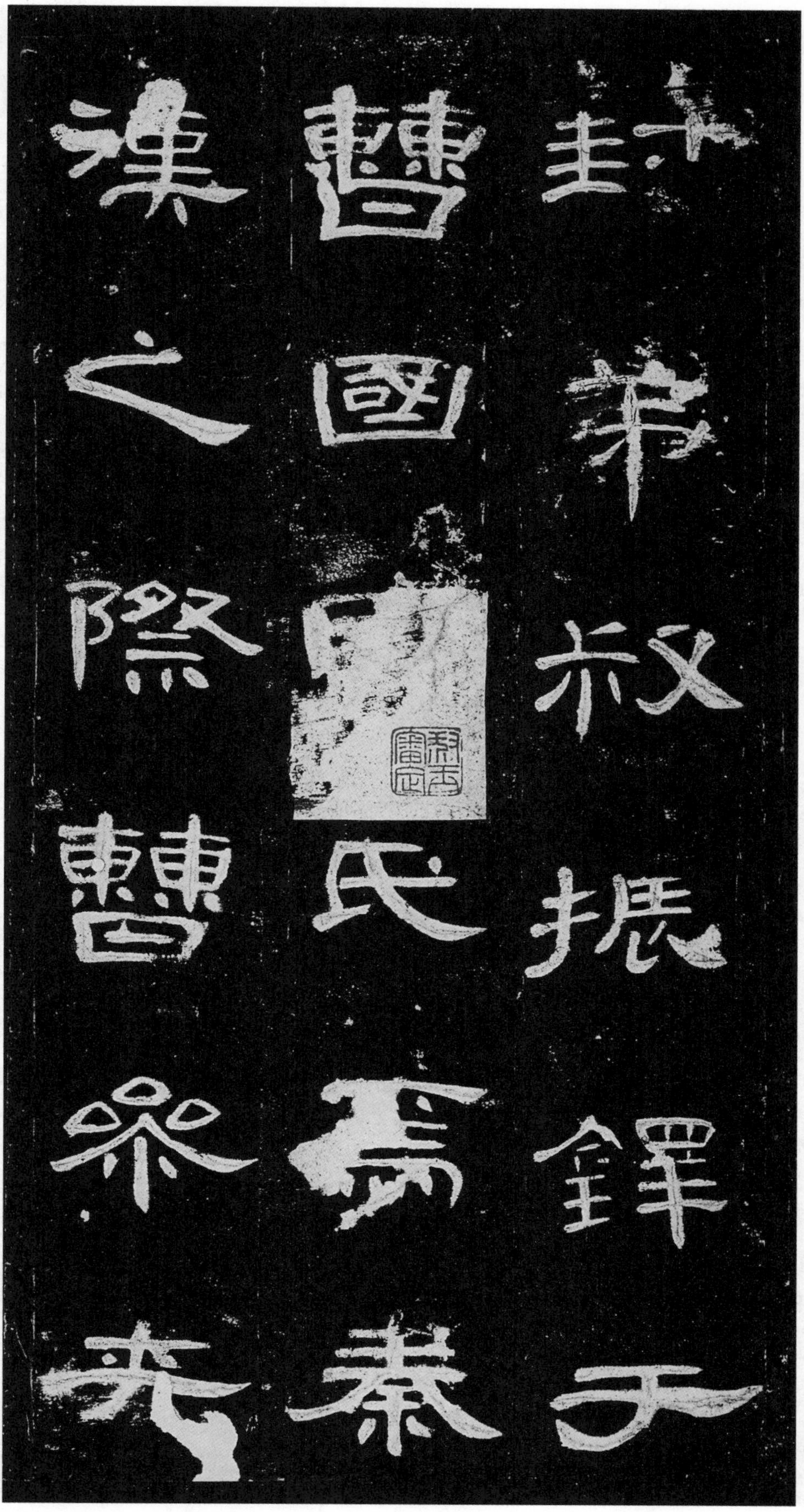
封弟叔振鐸于
曹國氏焉秦
漢之際曹參夾

輔王室世宗廓
土斥竟子孫遷
于雍州之郊分

止右扶風或在
安定或處武都
或居隴西或家

敦煌枝分葉布
所在為雄君高
祖父敏舉孝廉

武威長史巴郡
朐忍令張掖居
延都尉曹祖父

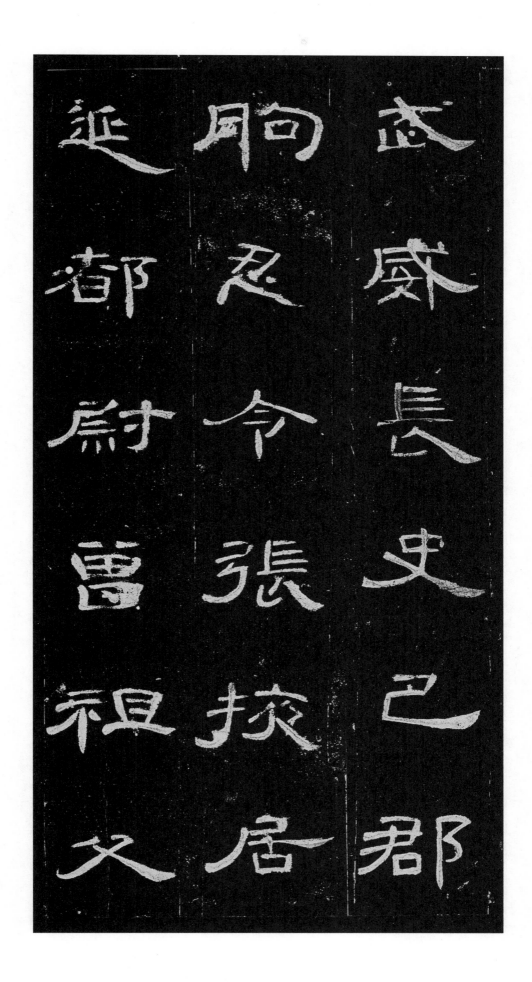

述孝廉謁者金
城長史夏陽令
蜀郡西部都尉

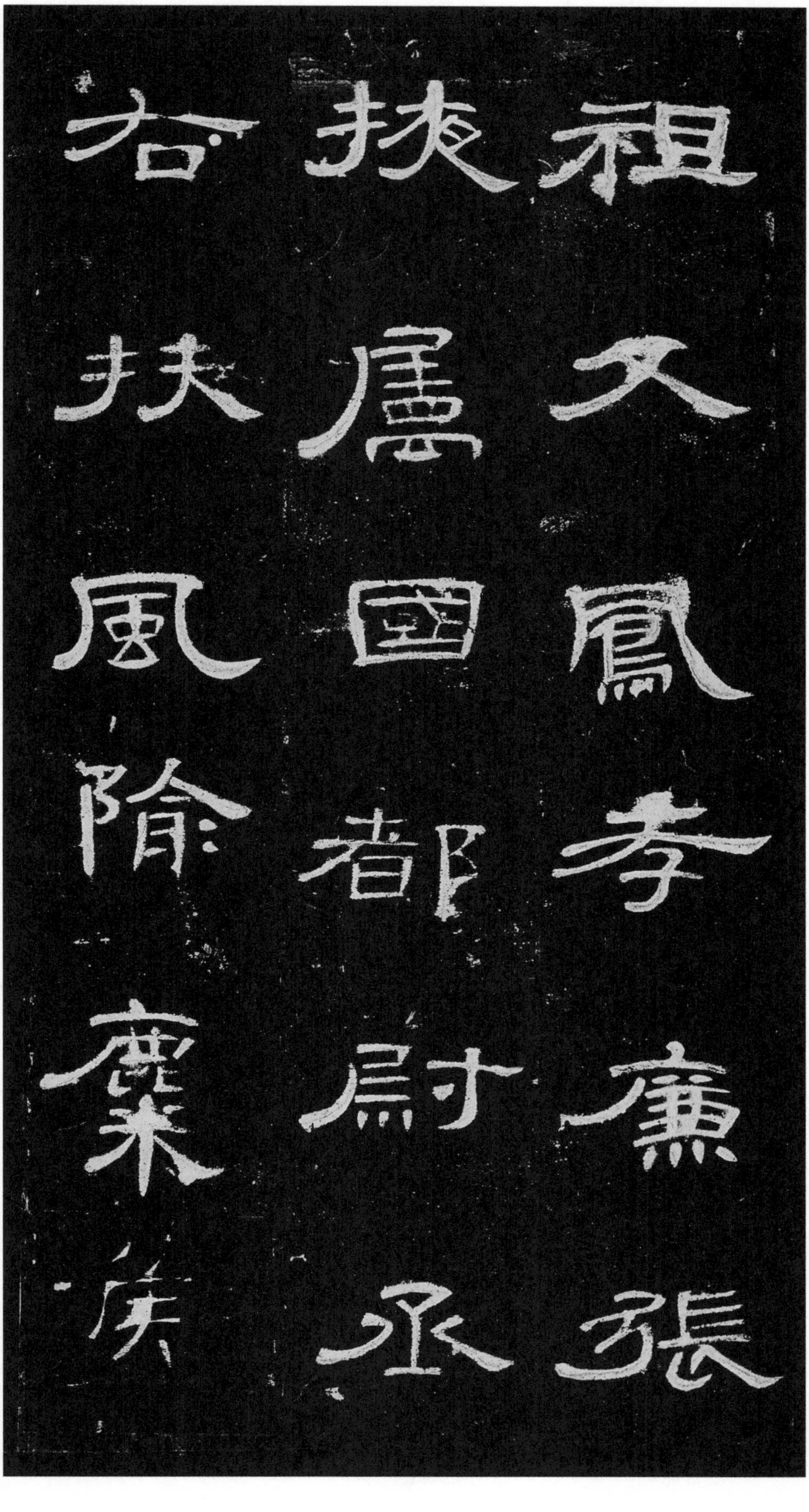
祖父鳳孝廉張
掖屬國都尉丞
右扶風隃麋侯

相金城西部都
尉北地大守文
琫少貫名州郡

不幸早世是以
位不副德君童
齔好學甄極毖

緯無文不綜賢

孝之性根生於

心收養季祖母

供事繼母先意
承志存亡之敬
禮無遺闕是以

鄉人為之諺曰

重親致歡曹景

完易世載德不

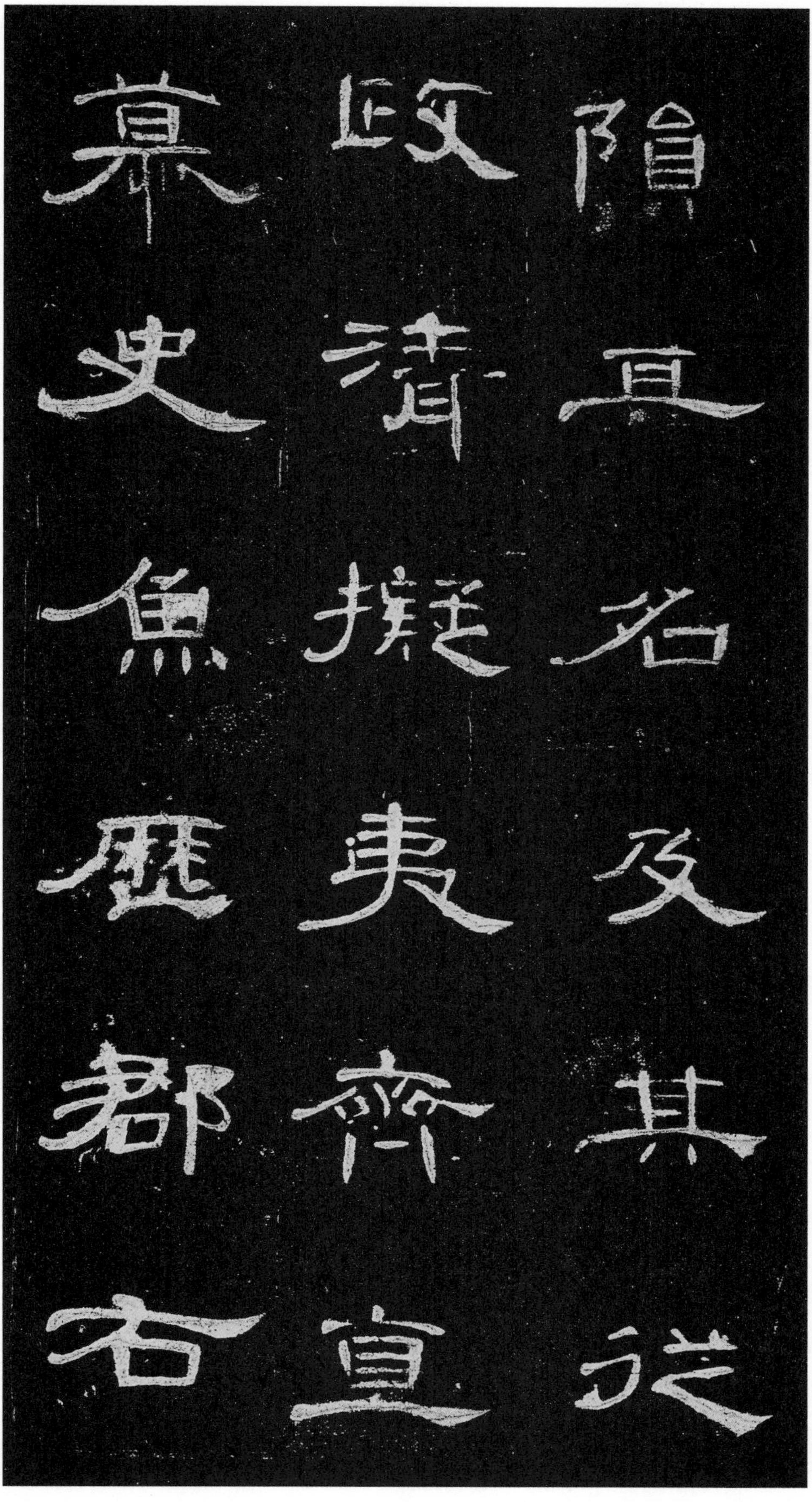
隋亘名及其從
政清擬夷齊直
慕史魚歷郡右

職上計掾史仍
辟涼州常為治
中別駕紀綱萬

里朱紫不謬出

典諸郡彈枉糾

邪貪暴洗心同

僚服德遠近憚
威建寧二年舉
孝廉除郎中拜

西域戊部司馬
時疏勒國王和
德弒父篡位不

供職貢君興師
征討有吮膿之
仁分醪之惠攻

城野戰謀若涌
泉威牟諸賁和
德面縛歸死還

師振旅諸國禮
遺且二百萬悉
以薄官遷右扶

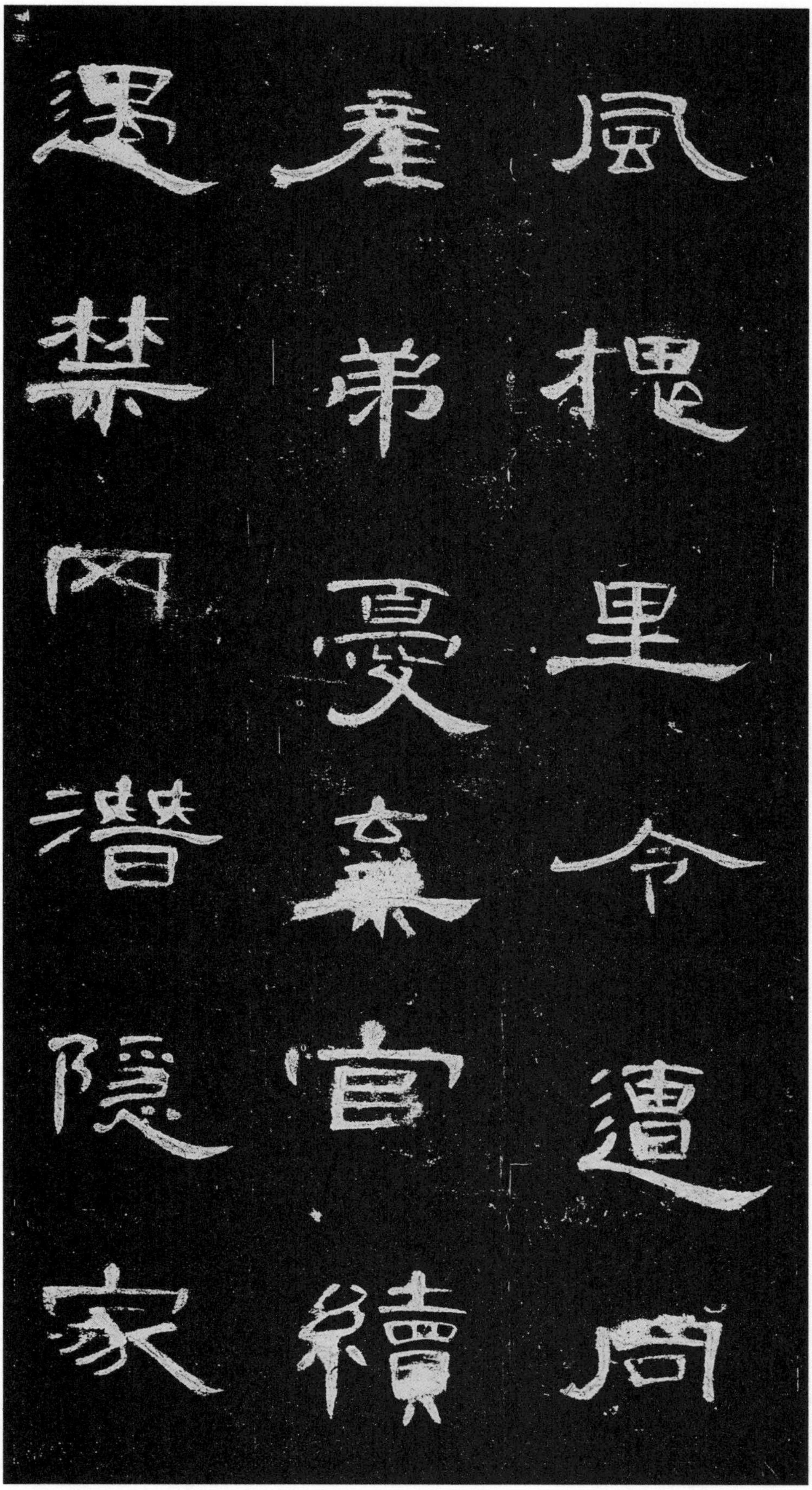
風槐里令遭同
產弟憂棄官續
遇禁冈潛隱家

巷七年光和六
年復舉孝廉七
年三月除郎中

拜酒泉祿福長
訞賊張角起兵
幽冀兖豫荊楊

同時並動而縣
民郭家等復造
逆亂燔燒城寺

萬民騷擾人褱
不安三郡告急
羽檄仍至于時

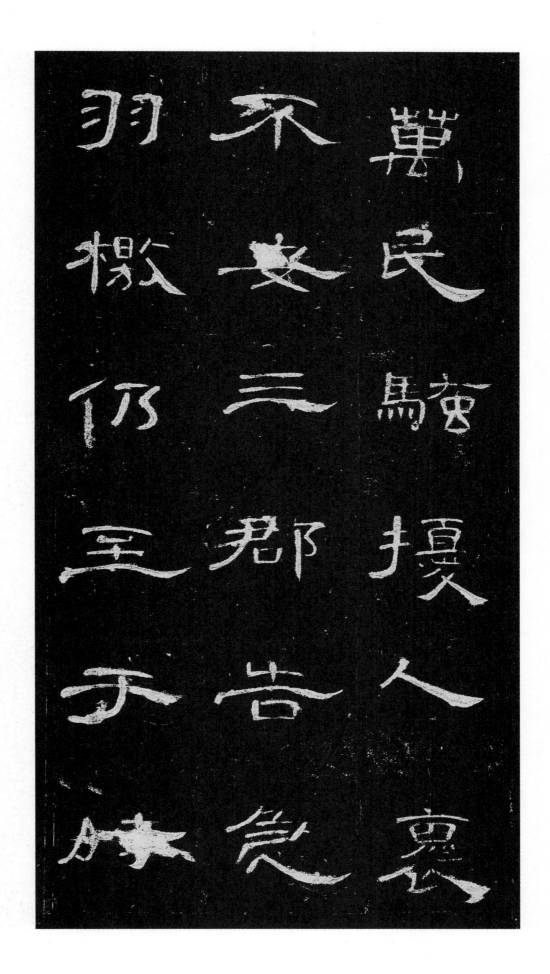

聖主諮諏羣僚
咸曰君哉轉拜
郃陽令收合餘

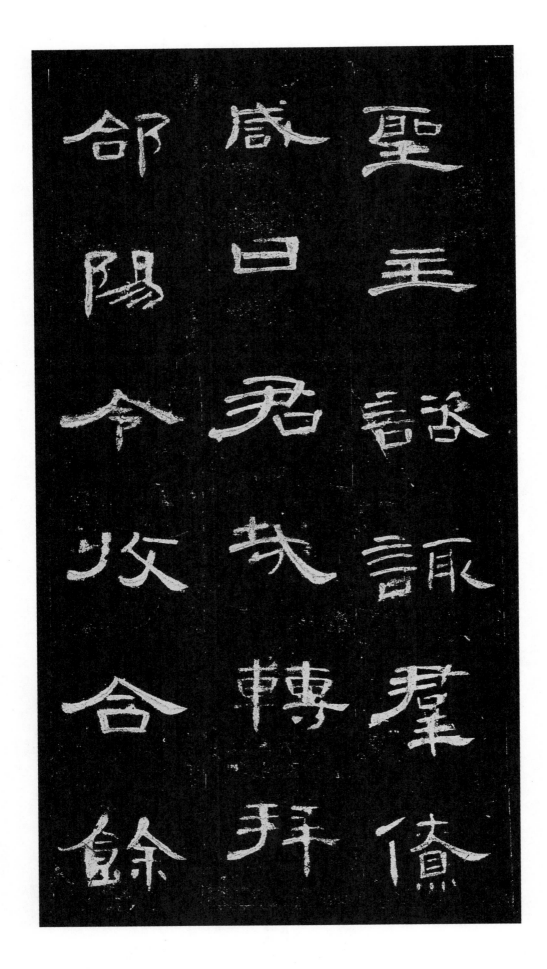

燼芟夷殘迸絕
其本根遂訪故
老商量儁艾王

故王畢等恤民
之要存慰高年
撫育鰥寡以家

錢糴米粟賜癃
盲大女桃婓等
合七首藥神明

膏親至離亭部
吏王宰程橫等
賦與有疾者咸

蒙瘳悷惠政之
流甚於置郵百
姓繦負反者如

雲戢治廧屋市
肆列陳風雨時
節歲獲豐年農

夫織婦百工戴
恩縣前以河平
元年遭白茅谷

水灾害退於戌
亥之間興造城
郭是後舊姓及

濟身之士官位
不登君乃閔縉
紳之徒不濟開

南寺門承望華
嶽鄉明而治庶
使學者李儒欒

規程寅等各獲
人爵之報廓廣
聽事官舍廷曹

廊閤升降揖讓
朝覲之階費不
出民役不干時

門下掾王敞錄

事掾王畢主簿

王歷戶曹掾秦

尚功曹史王顓
等嘉慕奚斯考
甫之美乃共刊

石紀功其辭曰
懿明后德義章
貢王庭征鬼方

威布烈安殊巟
還師旅臨槐里
感孔懷赴喪紀

嗟逆賊燔城市
特受命理殘起
支不旦寧黔首

繕宮寺開南門
闕嵯峨望華山
鄉明治惠沾渥

吏樂政民給足
君高升極鼎足
中平二年十月

丙辰造

汉张迁碑

张迁碑

隶书。额题《汉故谷城长荡阴令张君表颂》，立于东汉中平三年（一八六），未署书人姓名。碑原在山东东平，今藏山东泰安岱庙内。此碑字体以方整著称，结构错综，富有变化。用笔以方笔为主，拙朴淳厚，骨力雄健，碑额为缪篆颇有特色，是汉碑中的名品。

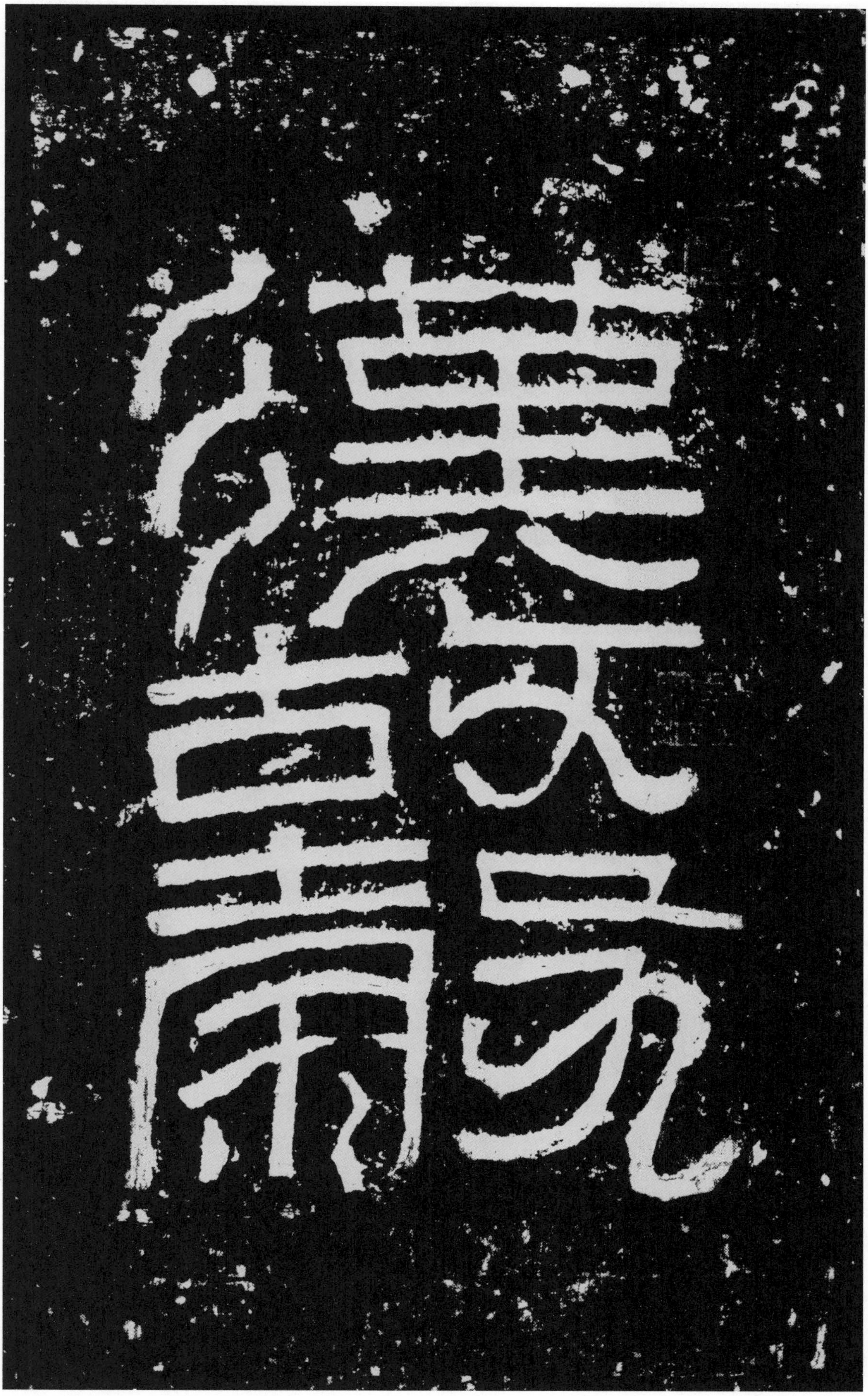

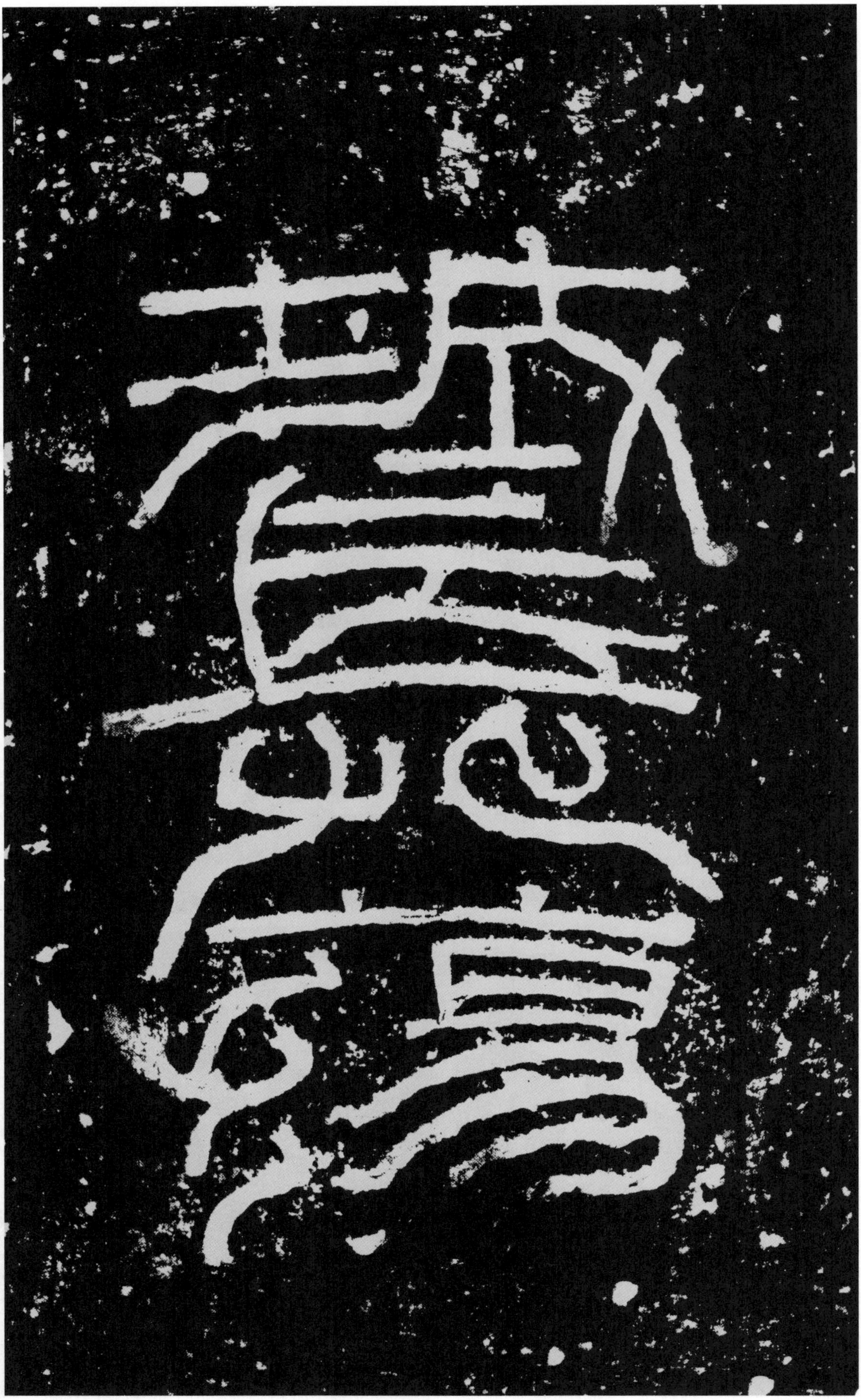

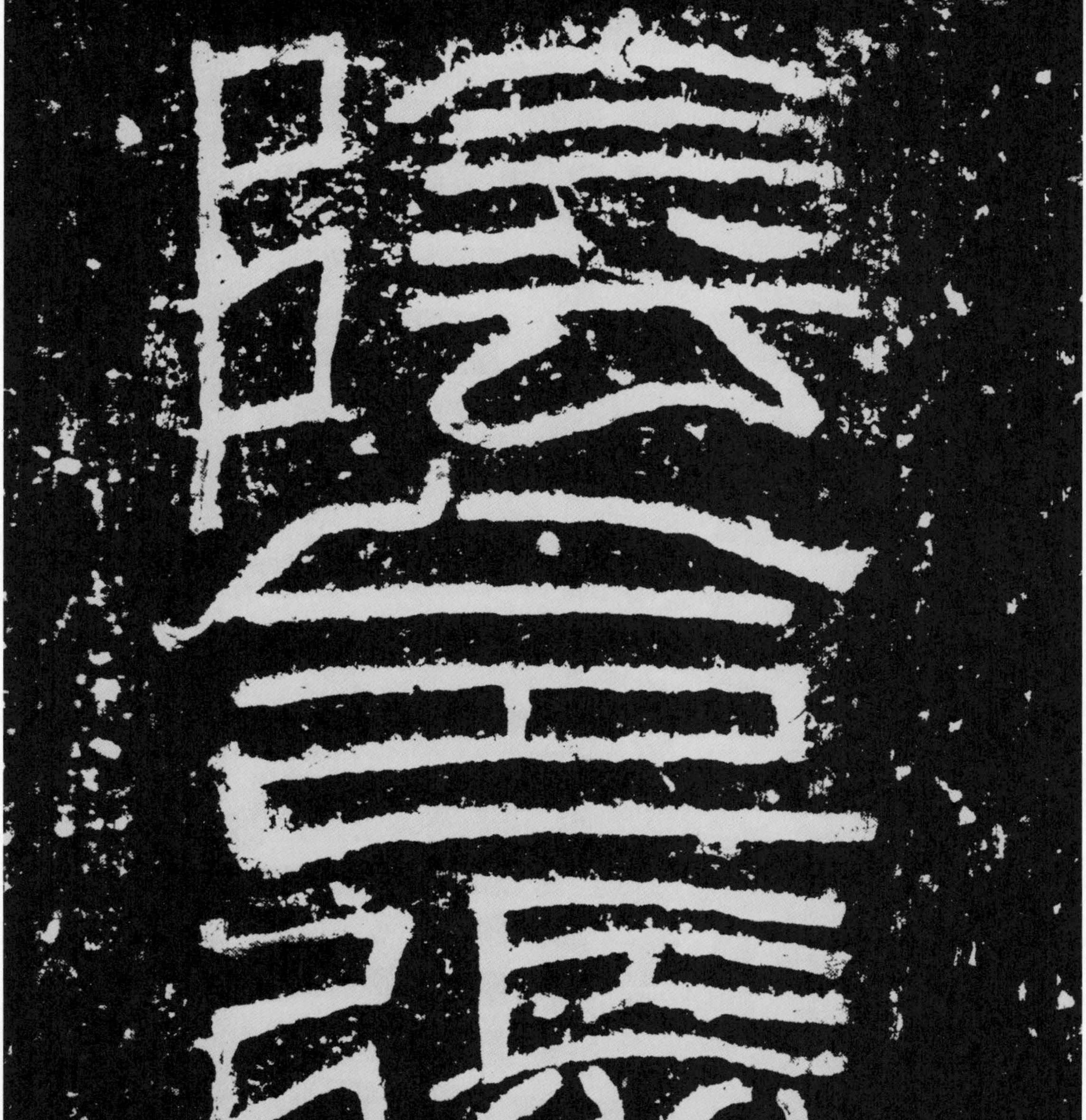

君諱遷字公方
陳留己吾人也
君之先出自有

煥知其祖高帝
龍興有張良善
用籌策在帷幕

之內決勝負千
里之外析珪於
留文景之間有

張釋之建忠弼
之謨帝遊上林
問禽狩所有苑

令退爲嗇夫釋
之議爲不可苑
令有公卿之才

嗇夫喋喋小吏
非社稷之重上
從言孝武時有

北震五狄東勤
九夷荒遠既賓
各貢所有張是

輔漢世載其
既

菁牧備修不
察高問孝弟
大中宮於朝

宗戶多聽覽權

略勢於從政之

為郡吏隱湅職

位常在股肱數
為從事聲無細
聞徵拜[illegible][illegible]除

[illegible]城長壹月出

務參陽四門閉

正中儀後邑漏

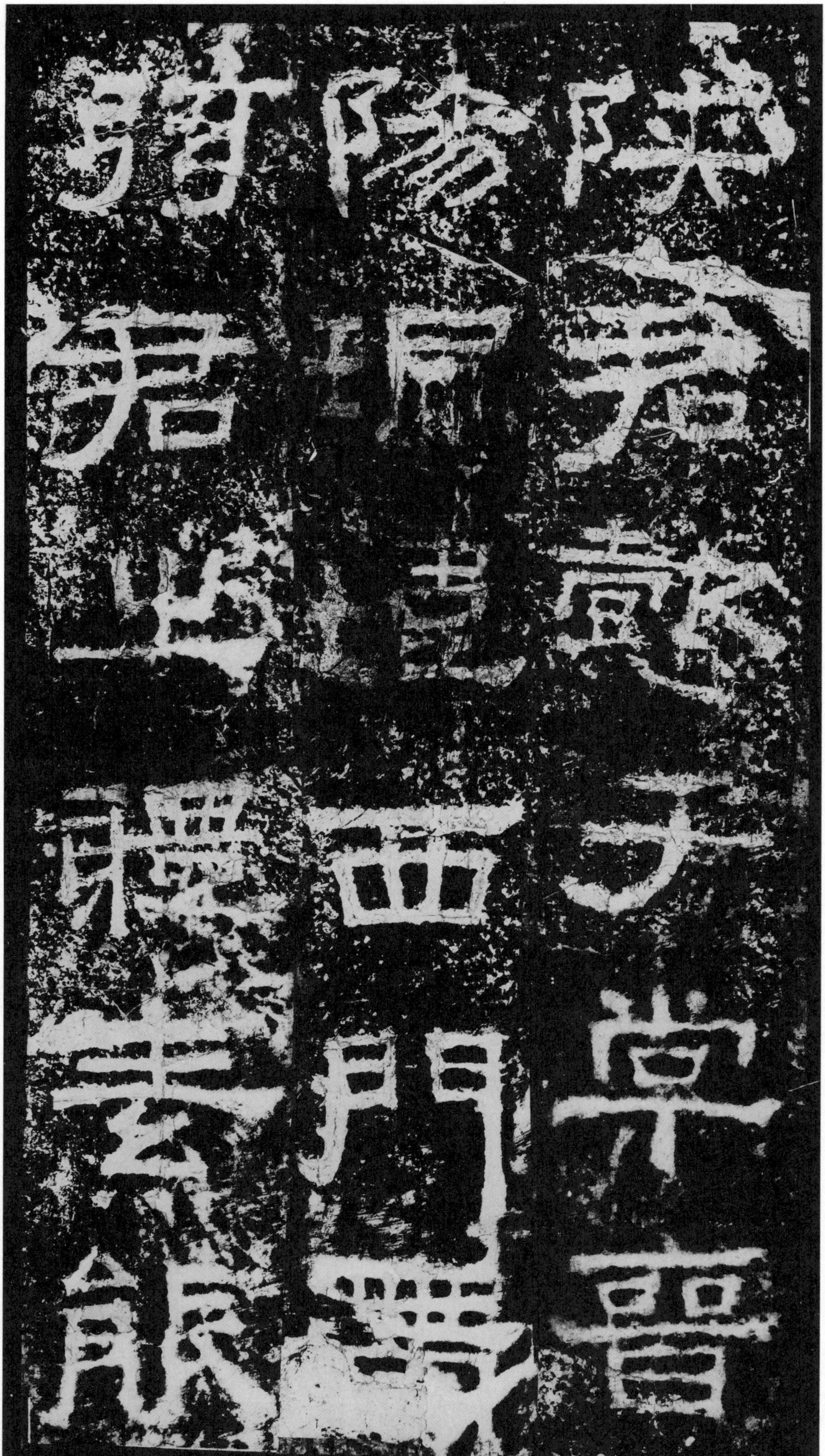

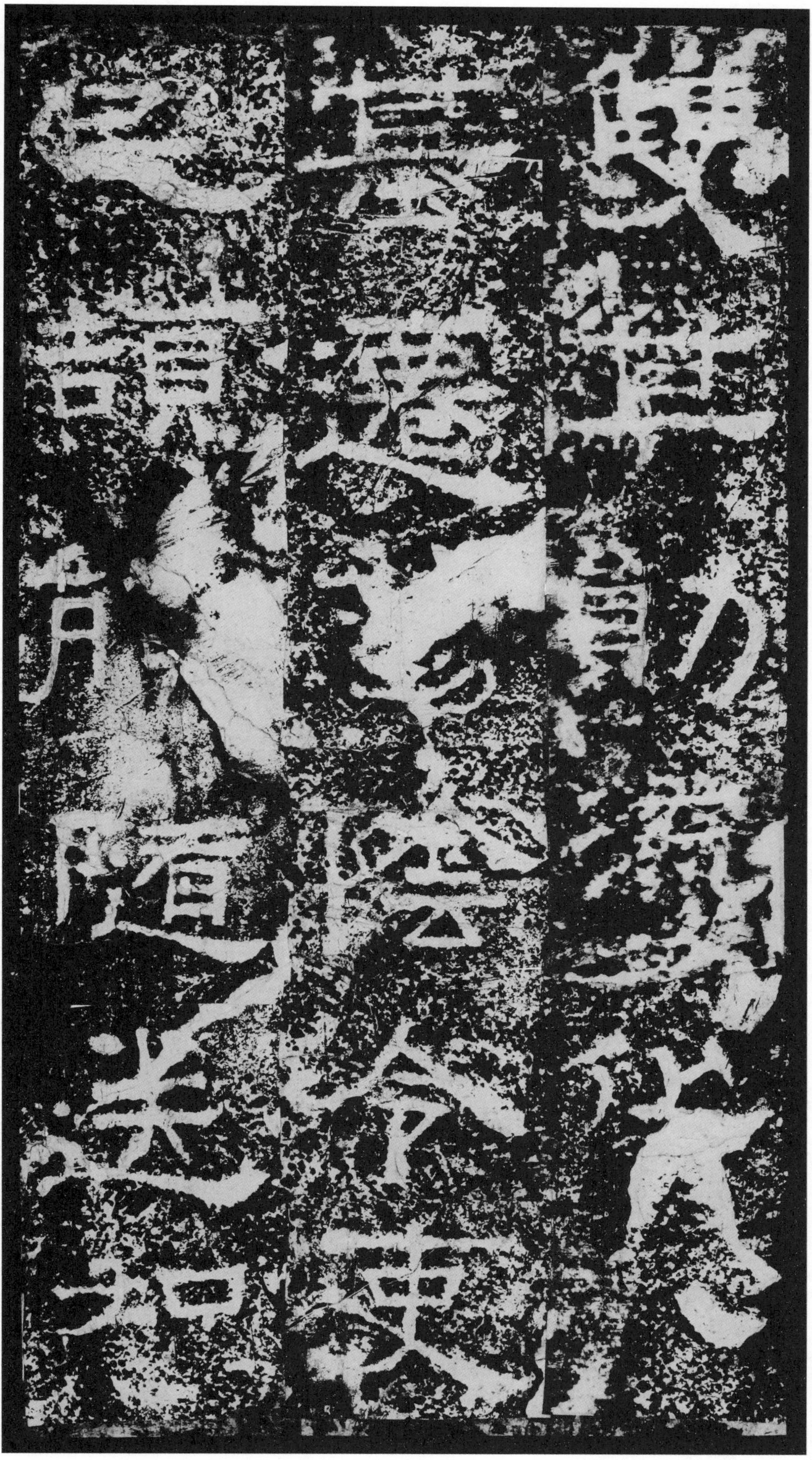

守周公東流西
人挹思參斯讀
會序文頌綬寅

勒萬載三代以
來雖遠猶近詩
云舊國其命惟

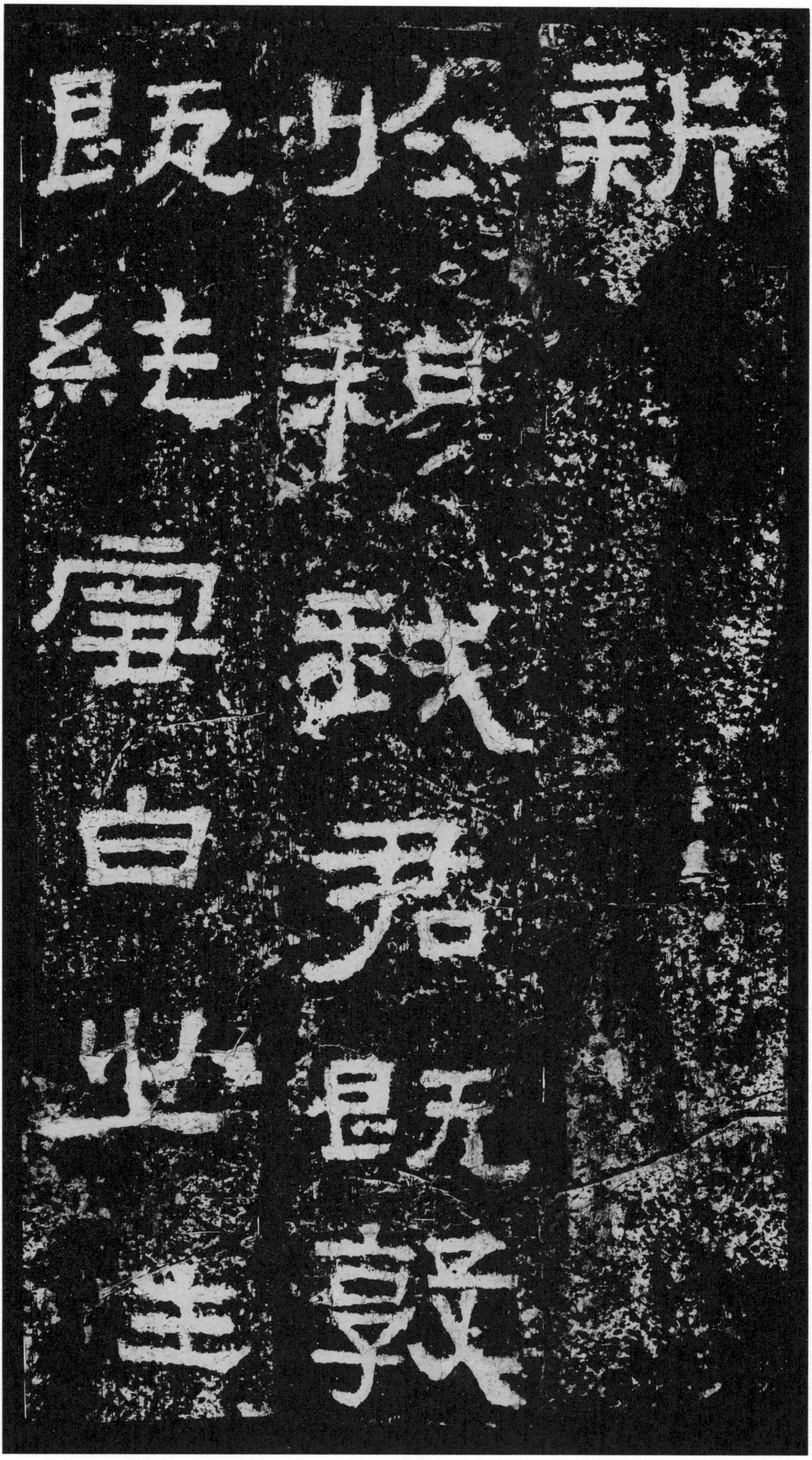
新
於穆我君既敦
既純雪白之性

孝友之仁紀行
來本蘭生有芬
克岐有兆綏御

森沛棠詩准

恭人乾道不慕

兒紳是觀既易

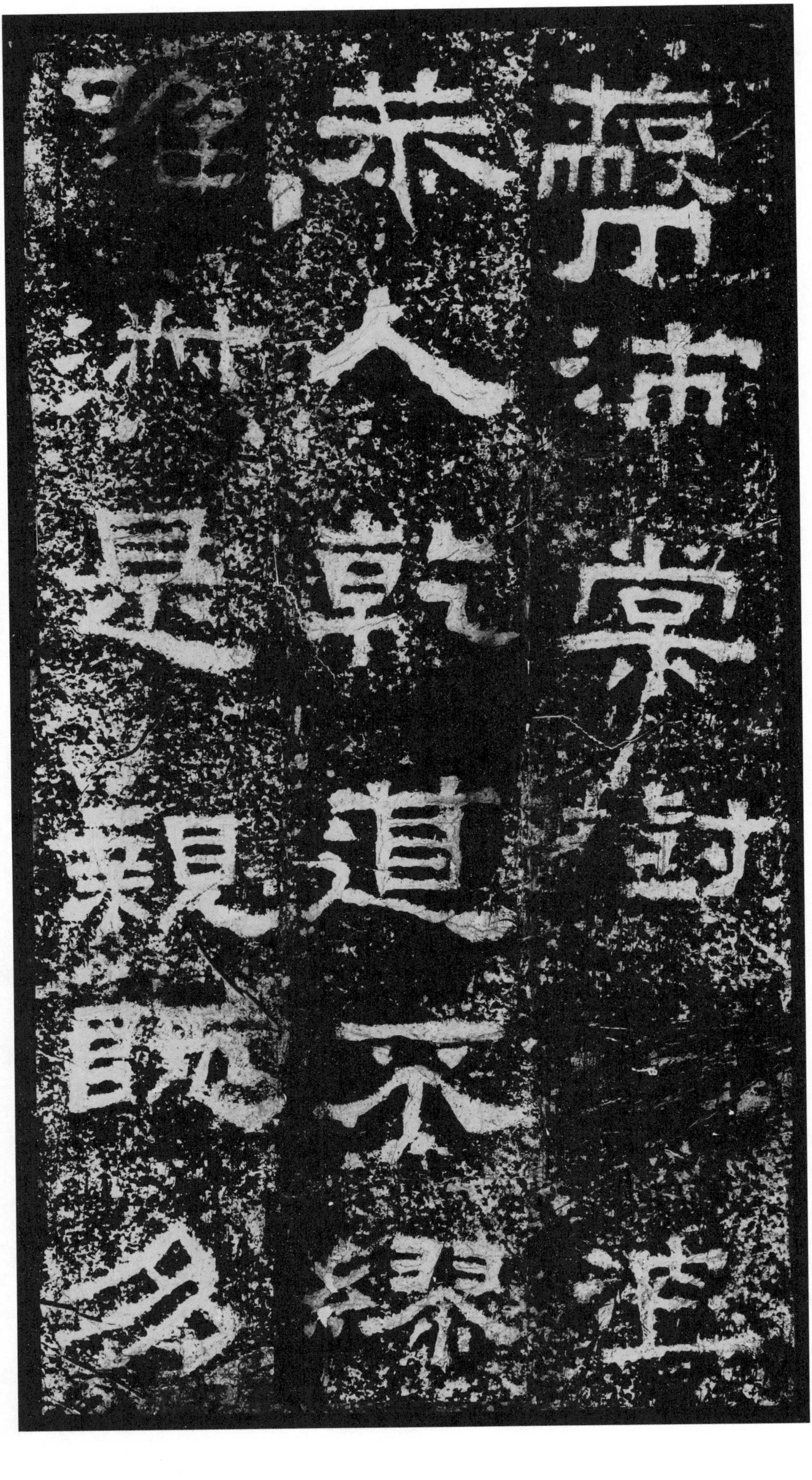

度紀永享
下帝天福
孫孫

丕
熹平三年歲
在攝提二月震

節紀日上旬陽
氣厥析感思舊
君故吏韋萌等

命參周賞貴師
發興利局惡表
以宗多皆共享

天祀億壽萬年

图书在版编目(CIP)数据

篆书.中/上海书画出版社编.— 上海：上海书画出版社，1986.6

（书法自学丛帖）

ISBN 978-7-80512-064-5

Ⅰ.正… Ⅱ.上… Ⅲ.篆书－法帖－中国Ⅳ.J292.31

中国版本图书馆CIP数据核字(2004)第135914号

书法自学丛帖——篆隶（中册）

本社 编

责任编辑　孙稼阜　罗　宁
审　　读　陈家红
封面设计　王　峥
技术编辑　顾　杰

出版发行　上 海 世 纪 出 版 集 团
　　　　　上海书画出版社

地址　上海市延安西路593号　200050
网址　www.ewen.co
　　　www.shshuhua.com
E-mail　shcpph@163.com
制版　上海文高文化发展有限公司
印刷　上海盛隆印务有限公司
经销　各地新华书店
开本　787×1092　1/12
印张　$30\frac{1}{3}$
版次　1986年6月第1版　2020年3月第18次印刷

书号　**ISBN** 978-7-80512-064-5
定价　**70.00元**